Paul Baldauf

Die kleinen Detektive von Brighton

www.tredition.de

© 2020 Paul Baldauf
Umschlag: Paul Baldauf

Verlag & Druck: tredition GmbH, Halenreie 40-44, 22359 Hamburg

ISBN
Paperback   978-3-347-14079.0
Hardcover   978-3-347-14080-6
e-Book   978-3-347-14081-3

TEIL 1: FRAU BROWN UND IHRE NICHTE

Kapitel 1: Frau Brown und ihre Nichte

Ich war schon ganz aufgeregt. Bald, so kündigte es der Busfahrer an, würden wir Brighton erreichen. Wie schön er es aussprach. Ich kauerte in meinem Sitz und versuchte ihn nachzuahmen:

„Attention passengers, in about ten minutes we'll be arriving in Brighton."

Dabei sprach er das «i» wie «ai» aus und zog es vornehm in die Länge. Als ich versuchte, ihn zu imitieren, erwachte mein Bruder neben mir aus dem Halbschlaf. Er stieß mich in die Seite.

«B r a i t e n», äffte er mich nach und lachte gemein. Doch bevor ich es ihm heimzahlen konnte, tauchte Mami auf. Sie suchte ganz konfus nach unserem Gepäck. Dabei hatte der Fahrer doch alles im Laderaum verstaut. Mami lachte über ihr schlechtes Gedächtnis und beruhigte sich wieder.

Nun schauten wir alle, ganz gespannt, aus dem Fenster. Auch meine Mutter war zum ersten Mal in England. Bald schon würde ich Amy sehen.

Ich war über ein Chat-Programm mit ihr in Kontakt gekommen. Nun konnte ich es kaum noch erwarten. Als ich meiner Mutter zum ersten Mal von Amy erzählte, freute sie sich. Sie hoffte, dass sich meine Englisch-Noten durch den Kontakt mit ihr verbessern würden. Vor der Abreise holte Mami noch alte Englisch-Bücher vom Dachboden. Vermutlich lernte sie ein Englisch aus den Fünfzigerjahren. Sie versuchte ständig, sich die Aussprache anzueignen. Irgendwann konnte ich es nicht mehr hören.

Während sie Kartoffeln schälte, Geschirr abtrocknete, Blumen goss oder Staub wischte, fortwährend sprach sie vor sich hin:

«I'm very pleased to meet you! My name is Ingrid Fischer. This is my daughter Marie and this is my son Michael. Thank you *very much* for inviting us to stay in your house!»

Dabei tat sie so, als würde sie gerade mit dem Zeigefinger auf ihre Tochter und ihren Sohn zeigen.

Mit dem «th» tat sie sich sehr schwer, sie verrenkte sich fast die Zunge. Als mein Bruder sich beim Mittagessen mit «would you please pass me the water?» an mich wandte, wobei er «water» wie «woooater» aussprach, prustete ich Suppe auf das Tischtuch.

Mami fauchte mich an:

«Marie, your behaviour is terrible! If you behave like this in Brighton, we'll leave a very bad impression, a very bad impression indeed!"

Mami's «A werrri bääd imprreschen indiiied!» hallte noch in mir nach, als der Bus plötzlich am Busbahnhof Brighton anhielt.

Kapitel 2: Ankunft in Brighton

Ich kramte schnell mein Handgepäck zusammen und eilte zum Ausgang. Auf dem Weg stieß ich mit einem Mann zusammen, der wie ein Chinese aussah. Statt sich zu entschuldigen, linste er aus dem Augenwinkel nach mir und verzog das Gesicht.

Im allgemeinen Gedrängel sah ich mich schnell um. Mami und Michael waren hinter mir. Bald schon fanden wir drei uns auf dem Vorplatz wieder. Der Busfahrer war ausgestiegen und zog unsere Koffer heraus. Über Brighton war schon Dunkelheit hereingebrochen. Die anderen Leute verliefen sich langsam. Ich blickte mich etwas ratlos um:

Wo war Amy? Sie wollte doch mit ihrer Mutter zum Busbahnhof kommen und uns abholen. Mein Bruder schaute vor sich hin, zuckte nur mit den Achseln und tat so, als ginge ihn dies alles gar nichts an. Mami zählte immer wieder die Gepäckstücke durch. Langsam fröstelte ich. Da spürte ich plötzlich, wie mir jemand von hinten auf die Schulter tippte. Ich drehte mich um, und *wen* erblickte ich? Amy, und – dicht hinter ihr – ihre Mutter. Mir blieb vor Aufregung erst einmal die Sprache weg.

Meine Mami preschte nach vorn und streckte forsch ihre Hand aus:

„I'm very pleased to meet you! My name is Ingrid Fischer. This is my daughter Marie and this is my son Michael. Thank you *very much* for inviting us to stay in your house!"

Dann zeigte sie nacheinander auf ihre Kinder. Ich verdrehte die Augen und fiel Amy um den Hals. Michael zog endlich die Hände aus den Hosentaschen:

„Very pleased to meet you."

Nun drückten wir ringsum Hände und umarmten uns und danach stiegen wir endlich ins Auto und legten die letzte Strecke zurück.

Kapitel 3: Ankunft im Fayfield House

Oh, Mami, schau mal!"

Ich deutete nach rechts. Obwohl es schon dunkel war, konnte man den berühmten «Brighton Pier» entdecken. Ich kannte ihn schon von Postkarten. Aber nun sah er noch viel schöner aus. Fasziniert schüttelte ich meine Mutter, bis sie endlich ihren Blickwinkel richtig einstellte. Der Anblick war atemberaubend. Die Uferpromenade lag vor uns, überall erglänzten Lichter. Der «Brighton Pier» ragte bis ins Meer hinein. Mir schien, als hörte ich das Rauschen der Wellen. Ich atmete tief ein: Meeresluft…

Doch Mami hatte keinen Sinn für Romantik. Sie flüsterte mir resolut zu: „Jetzt musst Du Englisch reden. Wir sind nicht mehr in Deutschland."

Amys Mutter schien verstanden zu haben. Sie machte eine beruhigende Geste.

„Keine Sorge. Ein Schritt nach dem anderen. In einigen Wochen wird sie wie eine junge Engländerin sprechen!"

Daraufhin schmunzelte sie und meine Mutter lachte heiter. Doch mir war ihr Kommentar eher peinlich. Mein Bruder zog mich gleich auf, bis Mami ihm über den Mund fuhr.

„Hier sind wir schon!", setzte Amys Mutter nach und deutete zu einem Haus. Hoch über der Eingangstür war auf einem großen Schild «Fayfield House» zu lesen. Amys Eltern betrieben eine Pension, die in einem Verzeichnis unter «Bed and Breakfast» zu finden war. Sie wohnten, in separaten Räumen, im selben Haus. Vielleicht mit Gästen aus aller Welt! *Das* konnte ja aufregend werden...

Als wir eintraten, kam uns Amys Vater entgegen und begrüßte uns herzlich. Als erstes nahm er uns die schweren Koffer ab. Dann stellte er sich vor:

„Herzlich willkommen! Ich bin Peter."

Peter? Das war wahrlich nicht schwer zu merken. Aber warum nannte er seinen Vornamen? Mami stellte sich meinen Freunden nie mit Vornamen vor.

„Hm, *wie gut* das riecht!", flüsterte ich meinem Bruder zu. Ich entdeckte gleich, nah beim Treppenaufgang, ein Körbchen. Darin lagen lauter Blütenblätter und andere aromatisch duftende Dinge. Der Duft verlieh dem ganzen Eingangsbereich eine besondere Atmosphäre.

„Es riecht gut, nicht wahr?", fragte mich Amys Mutter. Die hatte Ohren wie ein Luchs, da musste man aufpassen.

„Folge mir bitte, Marie."

Peter ging voran und wuchtete unsere Gepäckstücke hoch. Man sah, wie er sich abplagte. Einmal wäre er fast nach rückwärts gekippt. Der Fahrstuhl war vorübergehend außer Betrieb. Peter tat mir richtig leid. Mami hatte bestimmt wieder viel zu viel eingepackt. Während ich mit meinem Bruder hinterher trottete, hörte ich, wie Mami mit Amy und ihrer Mutter sprach. Diese hatte sich inzwischen als «Margaret» vorgestellt.

„So, Ingrid, erzähl mal, warst du früher schon einmal in England?"

Mami brachte mit Müh und Not einen Satz zusammen. Doch Margaret beruhigte sie gleich: „Lass dir Zeit. Wir werden langsam sprechen, keine Sorge. Und dein Englisch ist gar nicht schlecht! Hundertmal besser als unser Deutsch!"

Nun hörte man herzhaftes Lachen. Amy riss sich los, sprang die Treppen hinauf und begleitete uns auf die Zimmer.

Ich war erstaunt, wie groß die Pension war.

„Fayfield House ist ein sehr altes Haus", begann Amy.

Ich betrachtete ihre hellblonden Haare und ihren hübschen kleinen Zopf, den ein purpurrotes Band zusammenhielt. Auch ihre Haut war hell. Sie schaute mich aus ihren grau-blauen Augen treuherzig an. Ich konnte nicht mehr an mich halten:

„Oh, Amy, ich freue mich so, dass wir uns endlich sehen!"

Amy lächelte und sagte:

„Und ich freue mich, dass du hier bist, Marie. Deine Mutter und dein Bruder sind auch sehr nett. Ich bin mir sicher, dass es euch hier gefallen wird."

Da kam mein Bruder aus dem Bad und stieß zu uns.

„Hi, Michael", sagte Amy und sah ihn freundlich an. Als alles verstaut und auch Mami in ihrem Zimmer eingerichtet war, stiegen wir wieder die Treppen hinab. Margaret erwartete uns schon am Treppenaufgang.

„Kommt, lasst uns in die Küche gehen."

Peter hatte, während wir noch unterwegs waren, ein üppiges Abendessen zubereitet. Nun fachsimpelte er mit Michael über deutschen und englischen Fußball: „Oh, ja, dieser «Haaland» ist ein großartiger Spieler. Ich sehe manchmal Bundesligaspiele im TV."

Mein Bruder revanchierte sich mit einem Kommentar über den Kapitän des FC Liverpool, Jordan Henderson. Amy unterhielt sich unterdessen mit Mami. Es war reizend zu sehen, wie sie sich Mühe gab, langsam und deutlich zu sprechen.

„Im Sommer", begann meine Mutter, „müsst ihr alle zu uns nach Speyer kommen!"

Amy blickte fragend zu Margaret, bis beide zustimmten.

„Vielen Dank für die Einladung. Das klingt verheißungsvoll. Wenn es möglich ist, besuchen wir euch gerne. Aber ich fürchte, wir können nicht alle kommen. Ihr wisst ja, unser Gästehaus…"

Amy eilte nun davon und kam mit einem Atlas zurück. Als wir mit dem Essen fertig waren, blätterte sie und schlug eine Deutschlandkarte auf.

„S p e y e r", begann sie, und ich bemerkte, dass es nicht leicht für sie war, den Namen unserer Stadt auszusprechen.

„Wo liegt eure Stadt? Ich kann sie nicht finden."

„Hier, am Rhein."

Amy entfuhr ein staunendes „Oh, I see", bis Mami anfing zu gähnen. Sie versuchte noch, es zu unterdrücken. Vergeblich.

„Ihr seid bestimmt sehr müde", schloss Margaret scharfsinnig.

„Lassen wir es für heute genug sein, gehen wir schlafen."

Margaret begleitete dies mit entsprechender Gestik. Wir wollten Margaret noch helfen, den Tisch abzuräumen. Aber sie duldete keinen Widerspruch:

„Das kommt gar nicht in Frage! Ihr seid unsere Gäste, und diese haben in England keine Arbeitserlaubnis."

Margaret, Amy und Peter lachten wohlwollend und nach und nach zogen sich alle zur Nachtruhe zurück.

Kapitel 4: Der Chinese von gestern!

Als ich am nächsten Morgen den Frühstücksraum betrat, staunte ich. Wer saß da in der Ecke? Der Chinese von gestern! Er sah mich aus grau-blauen Augen an. Irgendwie wirkte sein Blick kalt auf mich. Dann machte er sich über «eggs and beans, toast and tomatoes» her.

„Ich hoffe, es macht euch nichts aus, wenn ihr im selben Raum frühstückt wie die Gäste unserer Pension?", fragte uns Margaret. Inzwischen waren auch mein Bruder und Mami eingetroffen.

„Die Küche ist etwas klein, deshalb dachte ich"

„Keine Sorge!", versicherte ihr Mami, „es ist ein sehr" – sie suchte nach dem englischen Wort – „ein schöner Raum, um zu frühstücken."

„Möchtet ihr Tee oder Kaffee? Mit Milch und Zucker?"

„Bitte Kaffee für uns alle", entgegnete Mami. Ich war erstaunt, wie flüssig sie auf einmal sprach.

„Und Milch bitte.“

„Für mich bitte mit Zucker“, wagte ich mich hervor. Ich erntete prompt einen kritischen Blick von Mami.

„Zucker für die junge Dame“, kommentierte Margaret. Sie brachte eine Dose und stellte sie vor mich hin:

„Hier, meine Liebe.“

Das Frühstück war unglaublich reichhaltig. Michael schmeckte es so gut, dass er fast gar nichts sagte. Man hörte nur immer wieder "mh", bis Peter kam und Nachschub bringen wollte.

„Es schmeckt lecker“, beteuerte Michael. Er bekam gleich noch einen Teller mit warmen Bohnen und Toast mit Ei.

„Noch etwas Käse, Marie?“

„Oh, nein danke, ich bin schon satt“, versicherte ich und deutete auf meinen Bauch.

„Amy kommt gleich“, warf Margaret ein, als ein Herr den Raum betrat. Wo hatte ich den schon einmal gesehen? Doch bevor ich ihn noch näher in Augenschein nehmen konnte, trat Amy herein.

Sie eilte an unseren Tisch und begrüßte uns:

„Ich hoffe, ihr hattet eine gute Nacht. Habt ihr gut geschlafen?"

„Ja", gab mein Bruder zurück, „und das Frühstück ist fantastisch!"

Er verschlang eine weitere Portion Bohnen und alle lachten. Da sagte Peter:

„Michael, möchtest du nachher mitkommen? Ein Freund von mir hat eine Sammlung von Autogrammen berühmter Fußballer und andere Fanartikel. Wir könnten bei ihm vorbeischauen. Er wohnt in der Nähe."

Michael strahlte über das ganze Gesicht. und Mami murmelte mir zu: „pay him a visit?" Margaret erklärte:

„Es bedeutet, dass sie ihn besuchen werden."

„Oh, I see", beteuerte Mami. In diesem Moment verließ der Chinese den Raum.

„Es scheint, dass er geschäftlich hier ist. Er sieht nicht so aus, als würde er hier einen Englischkurs besuchen", erklärte

Margaret, die ihm nachblickte. Amy wandte sich nun an mich:

„Möchtest du mit mir zum Pier gehen?"

Ich sprang vor Freude auf. Margaret schlug Mami vor, einen Bummel durch die Stadt zu machen. Wer, so fragte ich mich, hütete in der Zwischenzeit das Haus?

Kapitel 5: Erster Streifzug durch Brighton

Amy nahm mich an der Hand, als wir die Straße überquerten.

„Dies ist der berühmte «Palace Pier». Er wurde 1899 erbaut."

In der Ferne sah ich, wie Möwen über das Meer flogen. Manchmal schien es, als stünden sie in der Luft.

„Es ist ein typisch spätviktorianischer Pier. Da, unter den Arkaden, kann man Speisen und Getränke kaufen und es gibt Unterhaltungsangebote."

„Spätviktorianisch?", fragte ich, als wir uns näherten.

„Das bezieht sich auf Königin Viktoria. Als der Pier erbaut wurde, war sie Königin von England."

„Oh, natürlich", gab ich zurück. Dabei wusste ich gar nicht, wer damals Königin war.

„Die Häuser sind sehr schön", sagte ich und zeigte auf Gebäude in Nähe der Promenade. Nun gingen wir immer weiter den Pier entlang.

„Möchtest du Popcorn essen?"

Bevor ich noch etwas sagen konnte, kaufte Amy mir schon eine Portion.

„Teilen wir sie uns", schlug ich vor und reichte Amy die Tüte. Wir gingen an Verkaufsbuden vorbei, hörten Musik und schauten auf die Bänke.

„Wie du siehst, lassen die Leute es sich hier gut gehen."

In der Tat sah man, wie sie ganz entspannt auf den Bänken saßen. Manche dösten vor sich hin. Andere, die Beine in eine Decke gehüllt, lasen in einem Buch.

„Der Seewind ist so angenehm", sagte ich. Das Klima genießend, schloss ich für einen Moment die Augen. Als ich sie aufmachte, sah ich gerade noch, wie der Chinese an uns vorüberging.

Kapitel 6: Ein merkwürdiger Herr taucht auf

Als wir beim Mittagsessen saßen, war von dem Chinesen keine Spur zu sehen. Der merkwürdige Herr von gestern lugte kurz herein und verschwand wieder. Amy hatte sich spaßeshalber eine Art Kellnerinnen-Schürze umgebunden. Sie ließ es sich nicht nehmen, für uns das Essen aufzutragen.

„Excuse me, Amy", fragte ich. Sie kam näher heran. Ich tuschelte ihr ins Ohr:

„Who is the man that came in before, if you don't mind me asking?"

„No problem", sagte Amy. Dann sah sie einen Augenblick lang ernster aus.

„I'll explain later."

Sie verschwand in der Küche. Inzwischen war Peter von der Rezeption gekommen.

„I hope you enjoyed our visit this morning"? fragte er, an Michael gewandt.

Mein Bruder sprudelte nur so heraus:

„It was amazing. Thank you very much. I'm proud to have so many autographs.“

Peter strahlte.

„You're welcome!“ Im Hintergrund hörte man das Telefon läuten. Peter ging rasch zur Rezeption.

„You're welcome?“, fragte mich Mami, „er hat uns doch schon willkommen geheißen.“

Sie setzte eine ratlose Miene auf.

„Ich glaube, das heißt: Gern geschehen“, antwortete ich. Doch war ich mir auch nicht ganz sicher...

Die Bohnen mit Ei und Kartoffeln, der Salat und der Pudding schmeckten lecker. Nur wunderte ich mich, dass es schon wieder Ei und Bohnen gab...Aber ich ließ mir nichts anmerken. Peter kam im Laufschritt zurück.

„Heute Abend bekommen wir einen neuen Gast“, informierte er uns.

„Aus Indien!“

Nun kam ich aus dem Staunen nicht mehr heraus. Von so weit! Das Fayfield House musste ganz schön bekannt sein.

Kapitel 7: Frau Brown und ihre Nichte

Wir aßen gerade den Pudding, da traf eine Frau Brown ein. Sie war Engländerin. So viel hatte ich schon mitbekommen. Frau Brown war mit ihrer Nichte Evelyn angereist.

„Sie kommen jedes Jahr hierher", verriet mir Amy, als wir sie an der Rezeption sahen.

„Sie bleiben immer einen ganzen Monat."

Einen Monat! Frau Brown musste eine vermögende Frau sein. Mir war gleich der Schmuck aufgefallen, den sie um den Hals und an den Fingern trug. Ihre gertenschlanke Nichte sah neben ihr blass aus. Nun kam Margaret kurz hinzu. Sie hatte in der Küche alle Hände voll zu tun. Sie wandte sich an meine Mami und sprach ziemlich schnell Englisch.

„Hast du deinen Kindern schon von unserem Einkaufsbummel und Spaziergang durch die Stadt erzählt?"

Mami schluckte und überlegte schnell, was sie sagen sollte.

„Brighton ist so eine schöne Stadt. Mir scheint, sie ist deutlich größer als unser Speyer!"

Margaret legte ein Küchenhandtuch über den Stuhl und fragte nach.

„Wirklich? Wie viele Einwohner hat Speyer denn?"

Dabei sah sie uns alle an. Michael war der Schnellste:

„Ungefähr 50.000."

„Also heißt «inhabitants» Einwohner?", fragte Mami meinen Bruder.

Margaret kam uns wieder zuvor:

„I n h a b i t a n t s, erklärte sie, sind die Leute, die in einem bestimmten Ort leben. Dies kann ein Dorf, eine Stadt oder eine ganze Nation sein."

„Ahaaa!" gab meine Mutter zurück.

Kapitel 8: Mister A. Albright

Ein älterer Herr betrat den Raum, setzte eine ganz wichtige Miene auf und grüßte nicht. Dann setzte er sich an einen Tisch in der Ecke des Raumes, nah beim Fenster. Ich blickte unauffällig zu ihm. Da traute ich meinen Augen kaum. Er kramte ein goldumrahmtes Schild aus einer Tasche – «Mr. A. Albright» stand darauf – und stellte es vor sich auf den Tisch. Leute gibt es...

Mein Bruder sah es auch und lachte in sich hinein. Dann kam der Chinese herein. Herr Albright begrüßte ihn erfreut. Woher kannten sich die beiden? Der Chinese setzte sich zu ihm. Es dauerte nicht lange, und schon unterhielten sie sich angeregt:

„Sehr interessant, Ihr Kommentar, Herr Ling. Sehr interessant und verlockend, in der Tat.‟

Kapitel 9: Im Royal Pavilion

Eine Stunde später ging meine Freundin Amy uns als Stadtführerin voraus. Am «Royal Pavilion», dem «Königlichen Pavillon» angekommen, waren wir sprachlos. *So* ein Gebäude hatten wir noch nie gesehen.

Amy erzählte uns von König George IV., der von 1820-1830 regierte. Bereits 1783 besuchte er Brighton als «Prince of Wales». Ihm gefiel es in dieser Stadt. Deshalb ließ er 1787 eine klassisch gestaltete Villa entwerfen. Ich staunte, was Amy alles auswendig wusste. 1815-1822 wurde die ursprüngliche Villa vergrößert und in den jetzigen Pavillon umgebaut. Das Äußere war von indischer Architektur inspiriert.

Amy führte uns durch die «Oktagonhalle», dann durch die «Vorhalle», bis zur «Galerie».

Wir bewunderten die Farben der Wände, Verzierungen und Möbel, Kandelaber und vergoldete Spiegel. Ein Zimmer war prächtiger als das andere. Im großen Vorzimmer war ein Fenstergeschoß ganz mit Drachen geschmückt.

„Die Drachen sind herrlich, nicht wahr?", fragte Amy und zeigte hinauf. Mein Bruder streckte sich, um sich in einem Spiegel zu sehen. Doch die Pracht des letzten Zimmers war noch nichts gegen die lange Galerie. Wir bekamen kaum den Mund zu.

„Hier spielten sie Karten, hörten Musik oder unterhielten sich", erläuterte uns Amy. Sie war eine aufmerksame Fremdenführerin. Ich war richtig stolz auf sie.

„Engage in conversation?", fragte Mami leise. Dabei stieß sie gegen einen kostbaren Stuhl und bekam einen Schreck.

„Oh, ich sollte mehr erklären", entschuldigte sich Amy.

„Nun, es meint, dass sie hier miteinander Gespräche geführt haben. «To engage in doing something» bedeutet einfach, etwas zu tun. Ich hoffe, ich habe mich verständlich ausgedrückt?"

Amy sah uns fragend an. Doch Mamis Miene hellte sich auf. Amy lächelte.

Michael war uns inzwischen vorausgegangen. Er starrte fasziniert auf Porzellanvasen, prächtige Glasmosaike und Lampen. Alles war von ungewöhnlicher und erlesener Schönheit. Wir bestaunten Buntglasfenster, bis uns neben Podesten aus Bambus chinesische Figuren auffielen. Schon wieder Chinesen…Jetzt fehlte nur noch, dass dieser Herr Ling auftauchte.

„Amy", fragte ich, „kennst du diesen Herrn Ling?"

„Oh, ja! Er ist ein Juwelenhersteller aus Bristol. Er ist einer unserer Stammgäste. Er muss hier irgendwelche Geschäfte machen."

Sie kam einer eventuellen Frage zuvor:

„«Jewellers» sind Leute, die Juwelen herstellen. Juwelen, wie sie zum Beispiel Frau Brown anzieht."

Mein Bruder war zurückgekommen. Nun wurde er neugierig.

„Sind sie wertvoll?"

„Ja", sagte Amy, „ich nehme an, dass sie wirklich wertvoll sind."

Nun machte sie uns auf einen chinesischen Höfling aus gebranntem Ton aufmerksam. Der hatte eine Frisur, ähnlich wie die von Herrn Ling. Nur war der Chinese aus Ton besser gekleidet.

Der «Bankettsaal» verschlug uns vollends die Sprache. Was für ein prachtvoller Kronleuchter und was für herrliche Vorhänge mit goldenen Fransen! Und erst die Armleuchter und Gedecke aus Goldbronze! Die lange Tafel war überaus festlich gedeckt. Mein Bruder wollte wieder einmal den Kasper machen. Er tat so, als wolle er sich an die Tafel setzen und sich über das künstliche Obst hermachen. Ich hielt ihn gerade noch zurück. Im «Musikzimmer» angekommen, schüttelte Amy wieder Erklärungen aus dem Ärmel:

„König Georg IV. hatte eine Passion für Musik. In diesem Zimmer hörte er Kompositionen von Händel oder italienische Opern. 1823 spielte hier der berühmte italienische Komponist Rossini für den König."

Mein Bruder nickte fachmännisch. Dabei hätte ich wetten können, dass er diesen *Rossini* gar nicht kannte.

Uns verging langsam Hören und Sehen. Nie im Leben hatten wir so prächtige Wand- und Bodenteppiche gesehen. Allein schon die Farben...Die Blautöne, das Rot und Gold, Türkis und Violett, alles war harmonisch aufeinander abgestimmt. Der Faltenwurf der schweren Vorhänge, die Muster und Arabesken, die goldenen Drachen an der Decke, Pagoden und exotische Bäume an der Wand...Wir wussten gar nicht, wohin wir zuerst sehen sollten.

„Ich wünschte, Fayfield House wäre so schön", sagte Amy leise. Sie zog die Stirn etwas in die Höhe und lächelte verschmitzt.

„Ich bin sehr beeindruckt", beteuerte Mami. Vorher ließ sie ein kleines Englisch-Buch mit Redewendungen in ihrer Handtasche verschwinden. Ich hatte den Verdacht, dass der Satz, den sie mit betont englischer Aussprache von sich gab, aus ihrem Büchlein stammte. In diesem Moment näherte sich uns eine Aufsichtsperson. Der Pavillon schloss heute früher, wegen Renovierungsarbeiten.

„Kommen Sie doch dieser Tage nochmals", versicherte sie uns. „Ihre Tickets sind dann noch gültig."

„Wir können den Pavillon noch einmal besuchen und müssen keine neuen Tickets lösen", dolmetschte Amy, auf eine Frage von Mami hin.

Abends servierte uns Margaret leckere Toasts und warme Suppe. Dazu gab es Pfefferminztee. Die Tür zum Flur stand immer offen. Ich hörte deshalb, wie Peter an der Rezeption am Telefon Auskünfte gab.

„Im September, sagten Sie? Hm, lassen Sie mich nachsehen. Natürlich, könnte ich Ihnen reservieren. Wie viele Personen sagten Sie?"

Da schaute für einige Augenblicke auf einmal wieder jener seltsame Herr herein. Er trug einen Hut auf dem Kopf. In der Hand hielt er einen eleganten Spazierstock. Sein Anzug wirkte vornehm. Dabei sah es aus, als spitze er die Ohren und würde etwas beobachten. Merkwürdig. Als Amy uns einen Teller mit Fruchtsalat brachte, fragte ich sie mit vorgehaltener Hand:

„Hör mal, Amy. Dieser Mann, der gerade reinkam, der mit Hut und Spazierstock, warum setzt er sich nicht?"

Zu meiner Verwunderung sah Amy etwas betreten aus.

„Morgen werde ich es dir erklären, Marie."

Amy nahm einen Teller mit und verschwand in der Küche.

Herr Albright saß unterdessen mit Herrn Ling an einem Tisch und hielt ein Stück Toastbrot in der Hand. Vor ihm stand wieder sein Namensschild. Dabei sah es gar nicht so aus, als wolle er angesprochen werden. Seltsam.

Mami war auf einen kurzen Plausch bei Margaret in der Küche. Mein Bruder gab sich ganz dem Essen hin. So spitzte ich unbeobachtet die Ohren:

„Sehr interessant, Herr Ling... Wir sollten unsere Geschäftsbeziehungen intensivieren. Sie haben also auch eine gewisse Schwäche für Juwelen...Wir haben etwas gemeinsam."

Ich sah gerade noch, wie der Herr mit Hut hinter dem Türpfosten verschwand. Er musste gelauscht haben. Rechts in der Ecke stopfte sich Frau Brown Trauben in den Mund. Ihre Nichte, blass wie immer, nippte am Tee. Auf die Ohrringe, die Ringe und die Kette von Frau Brown fiel das Licht der Deckenlampe.

„Oh, wie wunderbar war es doch heute am Strand! Und wie erfrischend das Klima ist, meine Liebe. Meinst du nicht auch?", fragte Frau Brown mit volltönender Stimme.

Ihre Nichte nickte mehrmals und schnitt ein Stück Brot klein. Es sah gar nicht so aus, als erwarte Frau Brown eine Antwort von ihr. Nun hielt sie sich den Bauch, so als habe sie zu viel gegessen. Dann fächerte sie sich mit einer Serviette Luft zu. Ich musste lauthals lachen. Da kam Mami herein und sah mich missbilligend an.

Kapitel 10: Herr Singh aus Indien

Spät am Abend traf der Inder ein, auf den ich schon so gespannt war. Er stellte sich als «Mister Singh aus Akra» vor. Peter händigte er gleich seine Visitenkarte aus. Wie ich später sah, waren die Buchstaben golden, vor schwarzem Hintergrund. An den Rändern war sie schön verziert. *Die* machte Eindruck. Der Inder sprach Englisch mit einem starken Akzent. Da brauchten wir uns wahrlich nicht zu genieren. Er trug eine helle, tief herabhängende Jacke und eine Art Turban. Er hatte eigens einen Diener dabei, der ihm die Koffer hochtrug. Peter wollte helfen, doch der Inder duldete es nicht. Dann sprach er, wobei er einen Zeigefinger erhob:

„Es ist von g r ö ß t e r Wichtigkeit, dass ich nicht gestört werde! Ich denke, ich muss nicht wiederholen, dass ich das Frühstück – wie auch das Abendessen – in meinem Zimmer serviert sehen möchte. Als Schriftsteller habe ich ein höchst reizbares Nervensystem. Ich brauche

daher eine dauerhaft ruhige Atmosphäre. Gute Nacht!"

Mit diesen Worten schritten der Inder
und sein Diener nach oben. Der ließ sich
die Mahlzeiten immer auf sein Zimmer
bringen? Dann würden wir ihn ja gar
nicht beim Frühstück sehen...Schade!

Kapitel 11: Wo sind die silbernen Löffel?

Bevor ich schlafen ging, wollte ich Peter noch gute Nacht sagen. Wie schnell hatten wir uns an die Familie gewöhnt. Mir kam es vor, als würden wir uns schon länger kennen. Ich schlich die Treppe hinunter. Da hörte ich – es kam von der Küche – ein aufgeregtes Getuschel. Die letzten Stufen schlich ich noch leiser hinab. Ich hörte deutlich die Stimmen von Margaret und Peter:

„Kein Zweifel! Es *muss* die Nichte gewesen sein!"

„Bist du sicher?"

„Ja. Ich habe sofort gemerkt, dass kleine Silberlöffel fehlen, Silberlöffel, die mein Vater mir vererbt hat. Sie sind nicht nur aus wertvollem Material, für mich haben sie noch einen ganz anderen Wert: Sie erinnern mich an ihn und haben mir deshalb viel bedeutet."

„Aber, hast du noch einmal nachgesehen? Vielleicht sind sie irgendwo auf den Boden oder hinter den Schrank gefallen?

Oder du hast sie aus Versehen in die falsche Schublade geräumt?"

„Ich weiß, was ich sage! Ich habe nicht nur überall gesucht. Ich sah, wie aus ihrer Handtasche die Spitze eines Silberlöffels hervorschaute! Es kam mir gleich merkwürdig vor, dass sie immer diese Handtasche mit sich herumschleppt."

„Was nun? Sollen wir die Polizei anrufen? Oder sollen wir mit ihr sprechen?"

„Wir können nicht die Polizei anrufen. Wir müssen an den guten Ruf unseres Hauses denken. Davon abgesehen, Frau Brown ist Stammgast. Sie kommt jedes Jahr. Lass mich bis morgen nachdenken, was wir tun können, ja?"

Kapitel 12: Der Herr mit Hut

Ich schlich schnell wieder die Treppen hoch. So ungefähr hatte ich verstanden. Doch wie erschrak ich, als – oben angekommen – plötzlich der Herr mit Hut vor mir stand. Er musste sich irgendwo versteckt haben. Nun sah er mich eindringlich an, lächelte leicht und sprach:

„Ich wünsche Nachtruhe, eine angenehme, mein Fräulein. Morgen früh sollen Sie sich wie neugeboren fühlen. Gute Nacht!"

Er zog respektvoll den Hut, deutete ein Lächeln an, verbeugte sich und trippelte davon. Ich murmelte „Danke, gute Nacht", hinterher. Dann eilte ich ganz schnell in mein Zimmer.

Sollte ich meinem Bruder davon erzählen oder Mami? Besser nicht. Am Ende würden die sich noch über mich lustig machen: «I wish you a night most pleasant, my young lady». Sachen gab es. Musste es nicht:

«a most pleasant night» heißen? Was war hier nur los im Fayfield House?

Am nächsten Morgen wollte Mami unbedingt Margaret in der Küche beim Kochen helfen. Zunächst wehrte sich unsere Gastgeberin:

„Auf keinen Fall!"

Doch dann gab sie nach:

„Nun, wenn du darauf bestehst. Dann bringe ich dir bei der Gelegenheit einige neue englische Wörter und Redewendungen bei."

Mein Bruder konnte sich hingegen kaum noch von Peter trennen. Der hatte ihm versprochen, ihm Autogramm der Stars von «Manchester United» zu besorgen. Nun bat mein Bruder Peter, ihm zu zeigen, was für Arbeiten in so einem «B & B» anfielen. Sicher auch eine gute Gelegenheit, um Englisch zu üben. Doch seit wann interessierte sich Michael für das Hotelfach?

Kapitel 13: Im Sea Life Centre

So zog ich also mit Amy los. Zunächst führte sie mich zum «Old Ship Hotel», einem prächtigen weißen Gebäude.

„Es wurde 1559 gegründt", erzählte sie.

Ich staunte, wie sie die Jahreszahlen immer parat hatte. Amy sprach immer alles klar und deutlich aus. Sie vergaß nie, dass Englisch für mich eine Fremdsprache war. Wir gingen leise in die Lobby des Hotels hinein. Ein Liftboy musterte uns. Wir taten so, als würden wir hier wohnen. Ganz vornehme Damen saßen gelangweilt in bequemen Sesseln. Ein kräftiger Herr in feinem Anzug steckte sich eine Zigarre an. Da war mir unser gemütliches Fayfield House doch lieber.

Als ein Kofferträger uns ansprach – „May I help you? Are you looking for someone?" – liefen wir schnell wieder hinaus. Amy zeigte mir nun die Innenstadt.

„Sieh mal, dies nennt man hier «lanes»."

Die vielen Gassen und kleinen Straßen mit antiken Geschäften faszinierten mich. Die Namen dieser «lanes» waren auch interessant: Black Lion Street, Regency Arcade, Prince Albert Street.

In meiner Heimatstadt Speyer gab es auch viele verwinkelte Gassen. Doch klangen die Namen dort oft lustiger. Die musste ich Amy eines Tages unbedingt zeigen. An der «Marine Parade» angekommen, wartete Amy mit einer Überraschung auf. Hier verbarg sich der Eingang zum «Sea Life Centre». Ich dachte sofort an unser «Sea Life Center» in Speyer. Aber ich verriet Amy nichts. *Die* wird Augen machen, wenn sie einmal in unserer Stadt ist und ich sie dort hinführe.

Amy, die ein hellblaues Kleid trug, glänzte einmal mehr mit Jahreszahlen:

„Das Sea Life Center wurde 1872 als Menagerie erbaut. 1929 wurde es zu einem großen Aquarium. Du wirst vom Britischen Meeresleben fasziniert sein, besonders von den Haien...“

Amy trat einen Schritt näher auf mich zu, sperrte die Augen auf, fletschte die Zähne und lachte hell auf.

Das Gebäude des «Sea Life Centre» war ganz anders als unser Gegenstück in Speyer. Der Boden sah aus wie ein riesiges Schachbrett. Die Decken erinnerten an Gewölbe in Kirchen oder in Kreuzgängen von Klöstern. Amy las mir alle Erklärungen auf den Informationstafeln vor. Wenn ich etwas nicht gleich verstand, war sie erst zufrieden, wenn mir alles klar war. Sie suchte dann nach anderen Wörtern, die für mich leichter zu verstehen waren. Nachdem wir fast alles gesehen hatten, führte mich Amy zum Abschluss zu den Haien. Sie waren zweifellos der Höhepunkt.

„Sie sehen gar nicht gefährlich aus, nicht wahr?", fragte mich Amy.

„Nein", sagte ich, „aber"

„Aber? Fürchtest du dich vor ihnen?"

Amy zwickte mich in die Seite und zwinkerte.

„Nein, das nicht", erwiderte ich. Doch innerlich schauderte mir. Aus der Nähe sahen die Haie richtig unheimlich aus.

Nach dem Besuch des «Sea Life» liefen wir nochmals zum «Pier». So langsam füllten sich die Strandliegen. Eine frische und angenehme Brise wehte von der See. Wieder war Geschrei von Möwen zu hören. Kinder liefen am Strand barfuß über den Sand. Ein Vater hielt seinen Jungen an der Hand. Wellen rauschten unaufhörlich. Ich kramte meinen Fotoapparat aus meinem kleinen Rucksack, wollte ich doch unbedingt ein paar Fotos haben, auf denen ich mit Amy zu sehen war. Ein älteres Ehepaar kam uns entgegen.

„Würden Sie bitte ein Foto von uns machen?"

„Natürlich, gerne", versicherte der ältere Herr.

„Halte bitte mal die Zeitung und meine Pfeife", wandte er sich an seine Frau. Dann brachte er sich in Positur und lichtete uns beide aus allen Lagen ab. Das war ein Spaß. Einmal ging er sogar in die

Knie, damit er uns besser auf das Bild bekam. Er war einfach rührend.

„Vielen Dank", sagte ich, als er mir den Fotoapparat zurückgab.

„Darf ich fragen, woher du kommst?"

Das Ehepaar lächelte freundlich und neugierig. So hatte er also gleich an meinem Akzent gemerkt, dass ich nicht von hier war.

„Aus Deutschland, Südwestdeutschland."

„Oh, wirklich?" antwortete der Mann.

„Ich kenne diesen Teil Deutschlands gut. Meine Frau und ich waren in Rosenheim und in Garmisch-Partenkirchen. Nicht wahr, Liana?"

Sie bestätigte dies. Sie wünschten uns noch einen schönen Tag und gingen ihres Weges.

„Sehr nette Leute", sagte ich. „aber Rosenheim und Garmisch sind ziemlich weit von meiner Heimatstadt entfernt."

Amy amüsierte sich.

Kapitel 14: Hier gibt es einen Dieb!

Am nächsten Morgen hörte Michael den Wecker nicht. Ich ließ ihn schlafen. Doch was war im Frühstücksraum los?

Ich hörte schon auf der Treppe, wie Leute aufgeregt durcheinander sprachen. Als ich den Raum betrat, sah ich, wie sich Frau Brown eine Hand auf das Herz legte. Es sah fast so aus, als würde sie gleich in Ohnmacht fallen. Herr Albright und Herr Ling waren mit «eggs and beans, bacon and sausages, toast and orange juice» beschäftigt. Frau Brown beachteten sie kaum.

„Meine Juwelen!" schrie diese außer Atem.

„*Wo* sind meine Juwelen? Ich habe es heute früh gleich bemerkt! Ich lege sie vor dem Einschlafen *immer* auf den kleinen Tisch neben meinem Bett. Immer auf denselben Platz, nicht wahr, Nichte? Immer *genau* auf denselben Platz, seit Jahren. Und *niemals* hat jemand meine Juwelen auch nur berührt.

In diesem Haus *muss* es einen Dieb geben! Rufe *sofort* die Polizei, Nichte!"

Nun schien es fast, dass sie den Verstand verlor. Margaret debattierte aufgeregt mit Peter, hielt eine Hand an die Stirn und war ganz bestürzt. Da erblickte ich meine Freundin Amy. Sie tat mir so leid. Die Sache war ihr sicher peinlich. Frau Brown geriet immer mehr außer sich:

„Jemand hat meine kostbaren Juwelen gestohlen und diese «Gentlemen» da drüben interessieren sich nur für Eier mit Bohnen, Wurst und Toast!"

Sie zeigte auf die Herren Albright und Ling und schnitt ein grimmiges Gesicht.

„Das ist einfach nur widerwärtig."

Herr Albright drehte sich herum und antwortete ganz ruhig:

„Es tut uns natürlich leid. Aber wir hielten es nicht für angemessen, uns in eine Angelegenheit einzumischen, in der wir ohne Fachkenntnis sind. Nicht wahr, Herr Ling?"

Der Chinese nickte zustimmend.

„Ihre Juwelen werden sicher wieder zum Vorschein kommen, Frau, wie wahr noch gleich? Brown, richtig, Frau Brown", sagte er mit einer Stimme, die irgendwie «ölig» klang.

„Andernfalls sollte jemand die Polizei verständigen."

Damit wandte er sich wieder ganz dem Essen und Herrn Ling zu. Mami stand unterdessen Margaret bei und überlegte mit Peter, was zu tun sei.

„Haben Sie überall gesucht, Frau Brown? Darf ich mich in Ihrem Zimmer umsehen?", fragte Margaret.

„Tun Sie, was Sie wollen", antwortete Frau Brown unwirsch und verzog den Mund. Es schien, dass sie diese Pension nunmehr für eine Räuberhöhle hielt und nur noch auf die Polizei wartete.

Nach einer ganzen Weile kamen Margaret, Amy und Mami zurück. Ihre Suche war vergeblich gewesen. Die Juwelen waren und blieben verschwunden. Frau Brown war nun kaum noch aufzuhalten:

„*Ich selbst* werde die Polizei anrufen! Weißt du die Nummer, Nichte?"

Warum sagt sie immer «Nichte»? fragte ich mich, sie hat doch einen Vornamen! Frau Brown stolzierte in Richtung Telefon. Ihre Nichte wirkte ratlos. Die arme Margaret schlug die Hände über dem Kopf zusammen.

Kapitel 15: Der seltsame Herr tritt erneut auf

Da betrat – zu unser aller Verwunderung – der seltsame Herr mit Hut den Raum. Ich sah noch, wie Margaret sich eine Hand vor den Mund hielt. Er trug einen kunstvoll zurechtgestutzten und merkwürdig gezwirbelten Schnurrbart. Nun trat er ganz bestimmend auf. Er dirigierte alle mit entschlossener Gestik in den Frühstücksraum. Dabei hielt er eine Hand auf dem Rücken und wartete, bis alle saßen. Frau Brown platze heraus:

„Das ist unglaublich! Er sieht ja aus, wie"

Doch der Herr mit Hut unterbrach sie mit forscher Stimme:

„*Niemand* muss die Polizei rufen, Frau Brown! Ich kann Ihnen versichern: Wenn «Hercules Poirot» sich im Haus befindet, braucht man keine Polizei!"

Vom Tisch in der Ecke beim Fenster hörte ich leise „Er muss verrückt sein!"

Indem er den Kopf leicht zur Seite drehte, fuhr der Herr mit Hut unbeirrt fort:

„Habe ich nicht recht, Hastings?!"

Wen meinte er mit Hastings? Es ist doch sonst niemand da, dachte ich.

Nun entfuhr Peter, der seinen Kopf in eine Hand stützte, ein „Good Lord!"

Der Herr mit Hut nahm es auf: „Danke, Hastings".

Dann wandte er sich wieder uns zu:

„Dies ist ein Fall, ein höchst interessanter, nicht wahr? Ein Fall, für den man kleine graue Zellen braucht, die" – er deutete mit dem Zeigefinger auf seinen Kopf – „sehr gut funktionieren, ihre Arbeit gut verrichten."

Margaret und Peter blieb der Mund offen. Amy setzte sich zu mir, sie wirkte ratlos und betreten. Der Herr mit Hut, Stock und Schnurrbart beherrschte die Szene. Er legte seinen Hut ab und schritt durch den Raum. Auf einmal blieb er stehen und hielt für einen Moment einen Zeigefinger an die Lippen. Dann begann er von neuem:

„Sie alle müssen gedacht haben: Wie wagt er es, über diesen Fall zu sprechen?! Wir haben ihn gar nicht gesehen. Aber so arbeitet Hercules Poirot! Er beobachtet alles unauffällig und zieht seine Schlüsse. Und der Mörder – oder, in diesem Fall, der Dieb – kann sich nicht verstecken!"

„Siehst du, Nichte", murmelte Frau Brown, „er spricht von einem *Dieb*. Obgleich es natürlich lächerlich ist, sich als den von Agatha Christie erfundenen Detektiv Hercules Poirot zu verkleiden."

Der Herr mit Hut schien dies nicht zu hören. Er trat vielmehr erneut in die Mitte des Raumes und zog alle Blicke auf sich. Plötzlich war es ganz still.

„Lassen Sie mich also von vorn beginnen. Ich habe *sofort* beobachtet, dass *Sie*, Frau Brown, die Zimmertür über Nacht offenließen, nicht wahr?

Hercules Poirot hat einen Sinn für solche Details, die von größter Bedeutung sein können! Ich hörte, wie Sie zu Ihrer Nichte sagten: «Lass die Tür offen, Nichte. Vergiss nicht, dass ich unter Platzangst leide.»"

Sie hat die Tür offengelassen? Wie leichtsinnig!

„Und ich habe noch etwas gehört, Herr Albright."

Er wandte sich plötzlich nach links, fixierte Herrn Albright aus dunklen Augen scharf und sprach mit Nachdruck.

„Sie haben sich mit Herrn Ling über Juwelen unterhalten! Leugnen Sie das nicht!"

„Warum sollte ich das leugnen, ich bin Juwelier", antwortete Herr Albright mit leichtem Grinsen. Er knöpfte einen Knopf seines Sakkos auf und zog einen Hosenträger gerade. Dann lächelte er, zuckte mit den Schultern und schien ganz gelassen:

„Natürlich tat ich das. Über Juwelen zu sprechen verstößt nicht gegen Gesetz. Zumindest ist mir das nicht bekannt. Wir beide sind schließlich Geschäftsleute, nicht wahr, Herr Ling?"

„In der Tat", bemerkte Herr Ling trocken. Er verzog dabei keine Miene. Der Herr mit Schnurrbart drehte sich plötzlich auf dem Absatz um, fixierte die

Nichte und sprach mit donnernder Stimme:

„Und wie hätte *ich* – ein Detektiv, ein sehr berühmter – nicht merken sollen, dass *du* kleine Silberlöffel gestohlen hast?!"

Die Nichte erschrak, wurde noch bleicher, stammelte und sah sich hilfesuchend um.

„Meine Nichte eine gemeine Diebin*?* Das k a n n n i c h t wahr sein! Sag mir, dass das nicht wahr ist, Nichte!"

Die schwergewichtige Frau Brown schnaubte. blickte den Herrn mit Schnurrbart und Hut empört an:

„Sie *törichter* kleiner Mann, der Sie hier versuchen, uns glauben zu machen, dass Sie Hercules Poirot sind! Diesen Detektiv gibt es nur in den Büchern von Agatha Christie und im Film."

Der Herr mit dem markanten Schnurrbart lächelte überlegen und winkte ab:

„No, no, no, no, no – Frau Brown. Hier irren Sie sich sehr. Hercules Poirot steht vor Ihnen! Und er ist keinesfalls unverschämt! Er gibt nur Fakten wieder. Zunächst die Tatsache, dass Ihre Nichte Silberlöffel gestohlen hat. Und zweitens gibt es – hinsichtlich der gestohlenen Juwelen – drei Verdächtige in *diesem* Raum! "

Nun hatte er seine Stimme erneut angehoben und resolut mit dem Stock aufgestoßen.

Amy diente mir wieder als Dolmetscherin. Es wurden also drei Leute verdächtigt?

Der seltsame Herr erhob indessen seinen Spazierstock. Dann schritt er im Raum auf und ab.

„Beginnen wir mit Ihnen, Frau Brown."

Diese rückte unruhig auf ihrem Stuhl herum und blickte ihn entsetzt an.

„Warum sollte jemand, der kostbare Juwelen besitzt, auf die Idee kommen, über Nacht die Zimmertür offen zu lassen? Glauben Sie vielleicht, ich wüsste nicht, dass Sie die Juwelen gut gegen Diebstahl versichert haben? Ich hörte, wie Sie darüber einen kleinen Scherz machten? Aber es war kein Scherz. Sie sprachen im Ernst, nicht wahr, Frau

Brown?! Sie haben eine Versicherung abgeschlossen, so dass Sie – sollten sie gestohlen werden – eine große Summe einstreichen."

Amy nutzte die kleine Pause, die nun entstand, um mir den wesentlichen Inhalt seiner Rede zu vermitteln.

„Eine Frau, die, wie Sie, *alles* unter Kontrolle hat, wie sollte sie nicht daran denken, ihre Juwelen zu versichern? Und nun zu *dir*, Evelyn: Du warst nicht zerstreut, als du die Silberlöffel einstecktest! Eine so aufmerksame Person sollte aus Zerstreuung Silberlöffel einstecken? No, no, no, no, no!

Du hättest die Juwelen ganz leicht einstecken und an einem sicheren Ort verwahren können. Wer würde eine Nichte, eine so hingebungsvolle, die immer auf Frau Brown hört und ihre Urlaube mit ihr verbringt, verdächtigen wollen? Eine Nichte, die bereit wäre, ihr Leben für sie hinzugeben. Und *nun* zu Ihnen beiden, meine Herren Albright und Ling…"

Der Chinese sah ihn an. Genauso, wie er mich bei meiner Ankunft im Bus ansah:

Ein kalter Blick aus eisigen grau-blauen Augen.

„Es war eine schlaue Idee von Ihnen, Herr Albright, vorzuschlagen, dass wir die Polizei rufen. Ich fragte mich sofort: *Warum* spricht er so laut, dass es jeder hören kann, ausgerechnet über *Juwelen*, wenn hier, im *gleichen* Raum, eine Dame sitzt, die von Juwelen behangen ist, wie ein Weihnachtsbaum von Lametta? Jemand, der vorhat, Juwelen zu stehlen, würde das nicht tun! Und als Sie Herrn Ling nach seinem Interesse an Juwelen fragten, taten Sie dies mit einer solchen Stimme, dass ich es noch im Treppenhaus hören konnte. Aber Hercules Poirot täuscht man nicht!"

Mit laut dröhnender Stimme fügte er hinzu:

„*Sie* waren es, der mitten in der Nacht, um 02:00 Uhr, in ihr Zimmer schlich, nicht wahr, Herr Ling? Ich habe es mit eigenen Augen gesehen, so, wie ich Sie jetzt sehe! Aber die Geschichte endet hier noch nicht:

Natürlich war Hercules Poirot clever genug, Ihnen Zeit zu geben, die gestohlenen

Juwelen zu verbergen. Als Sie das Haus zu früher Stunde, lange vor dem Frühstück verließen, folgte ich Ihnen heimlich. Ich sah, wie Sie einen Landsmann von Ihnen trafen, nahe am Eingang zum Pier. Dann fanden Sie ein Versteck für die Juwelen, unter dem schwarzen, großen Stein am Strand, ganz in der Nähe des Piers. Später wollten Sie hingehen und sie wieder hervorholen. Es wunderte mich nicht, als ich hörte, wie Sie davon sprachen, dass Sie Brighton vorzeitig verlassen müssten. Margaret, rufe sofort die Polizei!"

Nun stellte er sich mitten in den Raum und drohte Herrn Albright und Herrn Ling mit dem Stock. Die blieben ganz ruhig oder taten zumindest so.

Margaret rief die Polizei mit ihrem Smartphone an, während Peter den Ausgang bewachte. Mami gestikulierte und rief mich und Amy zu sich. Mein Bruder hatte von all dem nichts mitbekommen. Er lag, leicht erkältet, im Bett. Während Mami ihn aufsuchte, verließen Amy und ich das Haus.

Kapitel 16: Das Rätsel des Herrn mit Schnurrbart und Hut wird gelöst

Während wir zum Strand gingen, erklärte mir Amy alles. Der Mann mit dem gezwirbelten Schnurrbart war Margarets Bruder Martin. Außer einer Schwester hatte er keine Angehörigen. Er bewohnte im Fayfield House ein Zimmer unter dem Dach.

Früher war er ein ausgezeichneter Buchhalter. Doch irgendwann wurde er immer wunderlicher. Er besaß alle Filme mit *Hercules Poirot* – dem berühmten Detektiv – auf DVD. Jeden Tag sah er sich einen anderen Film an. Sobald er mit der Reihe durch war, begann er von neuem. Und dies seit Jahren.

Mit der Zeit passte er auch Frisur und Schnurrbart, Kleidung und Gestik immer mehr dem großen Vorbild an. Als nächstes übte er den Akzent, die Sprechweise und für Poirot typische Fehler im Englischen ein, besonders in der Satzstellung, und perfektionierte sie mit der Zeit. Er färbte sogar seine Haare und hielt sein Gewicht so, dass es möglichst dem des Schauspielers «David Suchet» entsprach, der Poirot in seinen Lieblings-Filmen darstellte.

Als er aber einst bei der Arbeit begann, sich am Telefon mit Poirot zu melden und Akten mit Hercules Poirot abzeichnete, musste seine Firma ihn eines Tages nach Hause schicken. Mittlerweile schien er zweifelsfrei davon überzeugt, dass er der berühmte Detektiv war. Eine Therapie für ihn schien es nicht zu geben. Ärzte und Psychologen waren ratlos. Manchmal mäkelte er sogar am Essen herum:

«You English people do not know how to prepare a good Belgian breakfast!»

Zuweilen blieb er auch mitten im Satz stehen und tat so, als würde er «Miss Lemon» – der Sekretärin von Poirot – noch einige Aufträge erteilen. Jetzt wusste ich, warum er mir bekannt vorkam. Ich musste einmal eine Verfilmung eines Romans von Agatha Christie gesehen haben. Ich spürte, wie Amy die ganze Sache beschäftigte. Margarets Bruder tat ihr gewiss leid. Sicher wollte sie auch, dass unser Urlaub traumhaft schön verlief. Und nun hatte es zwei Diebstähle gegeben. Wenn wir zurückkamen, war möglicherweise sogar die Polizei im Haus.

„Oh, Marie. Es tut mir leid!"

„Keine Sorge", beruhigte ich sie und fragte:

„Aber er ist ganz schön schlau, nicht wahr?"

„Oh, ja, aber er tut mir dennoch leid."

„Vorhin war er wirklich brillant!"

„Meinst du wirklich?"

„Bestimmt! Er kommt mir auch gar nicht so unglücklich vor."

Amy wirkte erleichtert. Wir lösten uns wieder von diesen Gedanken und gingen gemächlich zum «Palace Pier». Ein Leierkastenmann machte Musik. Wellen liefen über die See. Der Himmel zog sich etwas zusammen. Amy bat mich zu warten. Bald kam sie mit einer großen Tüte Chips zurück. Wir setzten uns auf eine Bank, knabberten die warmen Chips und schauten in die Ferne.

Kapitel 17: Chefinspektor Jones

Als wir das Fayfield House wieder betraten, entdeckten wir in der Eingangshalle einen Mann, der wie ein Polizist aussah. Neben ihm stand noch ein Mann, vermutlich sein Kollege.

Margaret führte uns in das Esszimmer. Mir schien, dass sie ihren Bruder am liebsten versteckt hätte. Aber dies war kaum möglich. Martin hielt die Herren Albright und Ling weiter erfolgreich in Schach. Der ältere der beiden Männer stellte sich als «Chief Inspector Jones» vor. Der jüngere nannte sich «PC Elsworth».

„PC bedeutet Polizeibeamter", flüsterte mir Amy ins Ohr. Peter versuchte unterdessen, Margarets Bruder nach oben in sein Zimmer zu führen. Doch der sträubte sich aus allen Kräften. Als der Chefinspektor das Esszimmer betreten wollte, drehte Martin sich um:

„Mein lieber Inspektor Japp! Wie freundlich von Ihnen, dass Sie vor Ort erscheinen. Ich hoffe, Sie werden nicht enttäuscht sein, wenn Sie hören, dass Hercules Poirot den Fall bereits gelöst hat."

Dabei lächelte er Inspektor Jones an und stieß mit seinem Spazierstock triumphal auf den Boden. Inspektor Jones traute seinen Augen und Ohren kaum. Er blickte, um Aufschluss suchend, zu Peter und Margaret. Diese winkte ihn herbei. Eine ganze Weile tuschelten sie, bis Inspektor Jones nickte, sich räusperte und zurückkehrte.

„Nun, ich sehr, Herr, hm, Poirot… Wenn ich fragen darf: Was haben Sie denn herausgefunden?"

„Diese beiden Herren dachten, dass Sie straflos davonkommen. Aber Sie haben nicht bedacht – er zeigte auf seinen Kopf – dass Hercules Poirot ein Detektiv ist, der alles beobachtet und dem nichts entgeht! Ich rate Ihnen, Inspektor, dass Sie Ihren Polizeibeamten unter dem großen, schwarzen Stein, ganz in Nähe des Piers, suchen lassen. Die Juwelen von Frau Brown werden Sie dort sicher finden."

„Das ist lächerlich, Herr Inspektor!", warf Herr Albright lautstark ein.

„Sie können leicht feststellen, dass dieser Mann an einem Überschuss an Phantasie leidet. Durchsuchen Sie besser die Sachen, die die Nichte von Frau Brown mit sich herumträgt. Sie wurde bereits erwischt und als Diebin kostbarer Silberlöffel überführt. Vermutlich wird sie auch die Juwelen gestohlen haben. Vielleicht sollten Sie auch diesen angeblichen «Hercules Poirot» strafrechtlich dafür verfolgen, dass er der Polizei kostbare Zeit stiehlt."

„Sie irren sich sehr, Herr Albright", schnaubte Margarets Bruder. Doch Inspektor Jones fiel ihm ins Wort.

„Einen Moment, Herr, hm, Poirot."

Er drehte sich um und wandte sich seinem Kollegen zu:

„Stephan, durchsuche oben das Zimmer von Frau Brown und ihrer Nichte. Fordere noch zwei Leute an und sucht unter dem schwarzen, großen Stein am Strand, in der Nähe des Piers."

Der Polizist nickte und ließ sich von Margaret die Zimmernummer geben. Vorher orderte er telefonisch «zwei Mann Verstärkung».

Frau Brown und ihre Nichte saßen unterdessen auf dem weinroten Plüschsofa in der Eingangshalle. Frau Brown schnappte nach Luft. Ihre Wangen waren vor lauter Aufregung gerötet. Ihre Nichte schaute verstört vor sich hin. Mami und mein Bruder waren in ihren Zimmern.

„Tut mir leid für die ganze Aufregung hier", flüsterte Amy.

„Keine Sorge. Für deine Eltern tut es mir natürlich leid. Aber, irgendwo ist es auch sehr interessant."

Es war in der Tat aufregend. Erst die verschwundenen Silberlöffel, dann der Juwelen-Diebstahl und jetzt war auch noch ein leibhaftiger Kommissar im Haus.

Margarets Bruder war inzwischen kaum noch zu bremsen. Während der Polizist das Zimmer von Frau Brown und ihrer Nichte durchsuchte, informierte er Inspektor Jones:

„...ein sehr schlauer Plan, in der Tat. Aber wie konnten Sie ignorieren, dass Hercules Poirot auch ein großer Experte der menschlichen Seele ist? Als Herr

Albright mit einer List versuchte, uns alle
in die Irre zu führen...“

Kapitel 18: Was hast du getan, Nichte?

Eine halbe Stunde später eilte der Polizist die Treppe herunter. In einer Hand hielt er silberne Löffel. Frau Brown stöhnte laut auf:

„Mein Herz...*Was* hast du getan, Nichte?! Ich brauche einen Krankenwagen."

Die Nichte begann zu schluchzen. Da klingelte es an der Tür. Ein Tourist war auf Zimmersuche. Margaret wimmelte ihn ab und hängte gleich danach ein Schild an die Tür: „Sorry – wir sind ausgebucht."

Es dauerte nicht lange, bis zwei Hilfspolizisten kamen. Einer der beiden hielt die kostbaren Juwelen, Ringe und Ohrringe in der Hand. Margarets Bruder hatte also Recht gehabt! Als Herr Ling dies mitbekam, zog er blitzschnell etwas aus der Tasche. Es sah wie ein Brieföffner oder ein Messer aus. Doch Martin passte auf, eilte hinzu und schlug ihm die Waffe mit seinem Spazierstock aus der Hand. Der Chefinspektor zückte eine Schusswaffe.

„Herr Albright, Herr Ling, ich nehme Sie wegen Diebstahls der Juwelen von Frau Brown fest. Sie haben das Recht, die Aussage zu verweigern. Aber alles, was Sie sagen, kann als Beweismittel gegen Sie verwandt werden.“

Er gab Stephan und den beiden Polizisten ein Zeichen. Daraufhin legten diese Herrn Albright und Herrn Ling Handschellen an und führten sie ab.

Frau Brown war hocherfreut, als sie ihren Schmuck wiederbekam. Sie hatte aber alle Hände voll zu tun, um ihre Nichte zu beruhigen:

„Natürlich vergebe ich dir, du kleines, dummes Ding!“

Die Nichte hatte Glück. Margaret verzichtete wegen der Silberlöffel auf eine Anzeige. Sie erklärte dem Chefinspektor, es habe sich da «wohl um ein Missverständnis» gehandelt. Der Inspektor blickte etwas skeptisch, grüßte und näherte sich dem Ausgang. Vorher wollte er sich aber auch noch von Margarets Bruder verabschieden.

„Herr..., ich meine, Poirot: Exzellente Arbeit! Sie haben den Fall gelöst."

Martin lächelte über beide Backen, hielt einen Arm auf dem Rücken verschränkt und sagte:

„Danke, mein lieber Inspektor Japp. Hat Poirot Sie *jemals* enttäuscht? "

Daraufhin setzte er seinen Hut auf, sah den Inspektor verschmitzt an und trippelte die Stufen nach oben.

Kapitel 19: Es regnet

Am nächsten Tag ruhten wir uns von der ganzen Aufregung erst einmal aus. Margaret kochte einen besonders starken Kaffee. Neben den üblichen «eggs and beans», neben «toasts and tomatoes», gab es heute auch noch «mushrooms». So sagte man in England also für Pilze.

Was wird Amy wohl denken, wenn sie in Deutschland unser karges deutsches Frühstück kennenlernt? Am besten wird es wohl sein, wenn ich sie vorher frage, was sie essen möchte. Mami kann ihr bestimmt auch Ei mit Bohnen, gedünstete Tomaten mit Toast vorsetzen.

Es war schon ungewohnt, dass Herr Albright und Herr Ling nicht mehr am Ecktisch saßen. Aber ich vermisste sie nicht. Wenn ich nur daran dachte, wie Herr Ling einen immer ansah...

„Oh, Marie, schau mal!"

Amy nahm mich bei der Hand und führte mich ans Fenster.

„Es regnet stark. Man kann, auf Englisch, auch sagen: Es regnet Katzen und Hunde", sagte sie, an meinen Bruder gewandt. Der lächelte höflich, war aber so sehr mit seinem Frühstück beschäftigt, dass er kaum richtig zuhörte. Mami versuchte sich in der Küche an einem englischen Kreuzworträtsel.

„Es tut mir leid, Marie, aber bei diesem Wetter können wir das Haus nicht verlassen."

„Das macht doch nichts. Ich bin froh, hier zu sein und Zeit mit dir zu verbringen."

Amy klopfte mir auf die rechte Schulter. Dann dachte sie scharf nach.

„Was willst du nach dem Frühstück unternehmen? Wenn du möchtest, können wir auf mein Zimmer gehen. Ich kann dir Fotos zeigen und mehr über Brighton erzählen."

Die Idee gefiel mir. Peter wollte mit meinem Bruder im Keller eine Runde Tischtennis spielen. Margaret kümmerte sich um neu eintreffende Gäste und half Mami beim Rätsel.

„Komm, Marie, gehen wir."

Sie nahm noch unsere Teller und Bestecke mit in die Küche. Dann eilten wir auch schon die Treppen nach oben. Ihr Zimmer war ganz am Ende des Ganges.

„Und Margaret's Bruder?"

Amys Gesicht wurde für einen Moment ernster.

„Nun, ich nehme an, dass er seine Zeitung lesen wird. Später wird er sich sicher wieder eine der «Poirot DVDs» ansehen. An Nachmittagen spaziert er immer durch das Stadtzentrum. Immer genau eine Stunde."

„Das ist erstaunlich", sagte ich. Wenn er so durch die Stadt läuft, wie ich ihn gestern sah, fällt er bestimmt vielen auf.

In Amys Zimmer machten wir es uns gemütlich. Sie legte leise und beruhigende Klaviermusik auf. Dann begann sie, mir mehr über ihre Heimatstadt zu erzählen. Ich hörte ihr gerne zu.

„1753 veröffentlichte ein gewisser Richard Russell aus Lewes ein Schreiben über die gesunden Eigenschaften des Meerwassers, besonders im Hinblick auf Brighton. Er ließ sich hier ein Haus bauen und es dauerte nicht lange, bis die Reichen und Kranken hier an die Küste kamen. Um 1780 entwickelte sich Brighton zu einem Erholungsort mit besonderem Stil."

Sie sprach schön langsam. So verstand ich recht gut, was sie sagte.

„Die Zugverbindung nach London wurde für Brighton sehr wichtig. Das war 1841."

„Sag mal, weißt du das alles auswendig?"

Sie lachte.

„Ja, schon. Geschichte war schon immer mein Lieblingsfach."

Sie nahm ihren Faden wieder auf:

„Brighton nennt man auch «London am Meer»."

„Ach, ja?"

„Wegen der besonderen Atmosphäre hier. Viele Besucher aus London besuchen Brighton über das Wochenende oder verbringen hier Sommerferien. Studenten aus der ganzen Welt kommen, um Englisch zu lernen."

Vielleicht sollte ich auch einmal einen Kurs buchen, dachte ich. Dann könnte ich meine Freundin wiedersehen. Wenn man sie sprechen hörte, klang es schöner als bei unserem Englisch-Lehrer in Speyer...

„Brighton ist auch für seine Buch- und Antiquitätenläden, für seine Pubs und Restaurants bekannt."

Sie stand auf und ging ans Fenster. Von hier oben konnte man den *Palace Pier* gut sehen. Immer noch ging schwerer Regen hernieder.

Kapitel 20: Volks Electric Railway

Am nächsten Morgen kam Amy mit einem Stadtplan in der Hand ins Esszimmer. Sie hatte verschlafen und rieb sich noch die Augen. Doch nach einer Tasse Kaffee war sie gleich wieder putzmunter:

„Ich denke, heute könnten wir mit «Volks Elektrischer Eisenbahn» fahren."

Amy sah uns rundum an. Keiner von uns hatte eine blasse Vorstellung, wovon sie sprach. Peter und Margaret waren im Haus beschäftigt. Mami wollte unbedingt bei Margaret Unterricht im Kochen nehmen. Mein Bruder Michael würde also mitkommen... Ich verdrehte in Gedanken die Augen.

Draußen wehte uns eine angenehme Meeresbrise entgegen. Es war ein heller, strahlender Tag. Mein Bruder hielt wieder seine Hände in den Hosentaschen. Seine Hosen hingen schlampig herunter. Ein merkwürdiger Kontrast zu meiner Freundin, die so schön herausgeputzt war.

„Volks Elektrische Eisenbahn ist die älteste elektrische Bahn in Großbritannien", erklärte Amy voller Stolz und fügte hinzu:

„Sie geht auf das Jahr 1883 zurück."

Sie verhielt für einen Moment den Schritt.

„War das gut verständlich? Wenn etwas unklar ist, frag ruhig, ja?"

Wie aufmerksam sie war. Ach, wenn ich sie nur in meinem Koffer verstecken und mit nach Hause nehmen könnte, dachte ich. Der Tag unserer Abreise rückte immer näher. Warum nur hatte Mami nicht die Einladung für 14 Tage angenommen:

«Fahren wir erst einmal für 1 Woche, wir sind schließlich zu dritt». Und dann war es noch nicht einmal eine ganze Woche.

„Die Eisenbahn wurde von «Markus Volk» gebaut. Er war der Sohn deutscher Auswanderer."

Es war drollig, wie Amy sich mit der Aussprache von «Volk» abmühte. Da musste ich also auch keine Hemmungen haben.

„Übrigens war Herr Volk die erste Person in Brighton, die in ihrem Haus elektrisches Licht installierte."

An einem Schild über dem Ticketschalter las ich:

VOLKS ELECTRIC RAILWAY. THE WORLD'S OLDEST OPERATING RAILWAY. FREQUENT TRAINS TO AND FROM THE MARINA.

Also hatte Amy untertrieben. Es war sogar die älteste der Welt.

Mit der Bahn zu fahren, war ein einmaliges Erlebnis, wirklich «unique». Der vordere Wagen war rot gestrichen. «V 7 R» stand darauf in goldenen Buchstaben. Vorn hielt eine Frau in blauem T-Shirt eine Hand am Lenkrad. Wir fuhren an der Küste entlang zwischen den Endstationen *Aquarium Station* (Brighton Pier) und *Black Rock* (Marina). Direkt neben uns war der Sandstrand zu sehen. Dahinter die wunderbare Konstruktion des Palace Pier. Es sah aus, als stünde er auf Stelzen, die bis weit ins Meer hinein-ragten. Auf der anderen Seite blühten rosafarbene Blumen. Weiter hinten sah man helle Häuser.

„Die Architektur ist herrlich, nicht wahr?"

Ich stimmte meiner Begleiterin zu. Die Häuser waren schön anzusehen. Mein Bruder sagte sogar volle zwei Wörter auf Englisch: „Yes, indeed."

„Volks Elektrische Eisenbahn verbindet Palace Pier und Marina."

Amy musste nun lauter sprechen, denn um uns herum hörte man das reinste Stimmengewirr. Ich konnte mich an der Küstenszenerie gar nicht satt se-hen. Bei dem frischen und angenehmen Klima lebte man richtig auf. Mein Bruder hielt sich weiter mit Kommentaren zu-rück. Stattdessen schoss er ständig Fo-tos. Amy versuchte, ihn zu bewegen, Englisch zu sprechen. Doch er sagte nur:

„Really beautiful! I'm speechless."

Um eine Ausrede war er noch nie ver-legen.

Am Abend zeigte uns Mami ganz stolz das englische Kreuzworträtsel. Sie war ganz schön weitergekommen. Aber in mir kam gleich der Verdacht auf, dass viele Lösungen darin von Margaret stammten.

Peter half einem neu angekommenen Ehepaar, das sich mit schweren Koffern abmühte. Er grüßte uns vom oberen Treppenabsatz aus. Wir erzählten Mami und Margaret von unserer phantastischen Tour mit *Volks Electric Railway*. Es sprudelte nur so aus uns heraus. Da hörten wir, wie sich oben eine Tür öffnete.

Das musste Margarets Bruder sein...

Kapitel 21: Wenn Sie mich entschuldigen, Frau Lemon...

Seine kräftige Stimme war deutlich zu hören:

„Bitte, entschuldigen Sie mich, Frau Lemon, ich muss jetzt wirklich gehen. Wichtige Geschäfte warten auf mich. Würden Sie bitte den Brief schreiben, so dass er morgen früh fertig ist? Falls Hastings anruft, erzählen Sie ihm, dass Poirot sich um eine dringende Angelegenheit (a matter *most* urgent) kümmern musste."

Wir blickten alle nach oben.

„Frau Lemon?" flüsterte ich Amy zu.

„Sie ist in vielen berühmten Krimis von Agatha Christie und in Verfilmungen ihrer Bücher die Sekretärin von Hercules Poirot – oder seine «rechte Hand», flüsterte Amy. Sie zog die Stirn in die Höhe und blickte etwas ratlos. Margaret sah uns vielsagend an. Amy fügte hinzu:

„Er ist ein guter Mensch, der niemand etwas antut. Er lebt in einer ganz eigenen Welt."

Martin kam die Treppe herunter und schwang seinen Spazierstock. Er war in einen feinen, elegant wirkenden Anzug gehüllt.

„Einen angenehmen Abend für euch alle", sagte er. Dabei deutete er ein liebenswürdiges Lächeln an.

„Gehst du aus?" fragte ihn Margaret. Sie wirkte besorgt.

„In der Tat!" antwortet Martin resolut. Dabei hielt er wieder einen Arm auf dem Rücken verschränkt.

„Aber ich fürchte, *Hercules Poirot* wird euch nicht verraten, aus welchem Grund er jetzt das Haus verlässt."

Mit diesen Worten öffnete er die Tür und trat ins Freie.

Kapitel 22: Preston Manor

Am nächsten Tag brachen Mami, Michael, Amy und ich nach dem Frühstück gemeinsam zum «Preston Manor» auf. Schon der Anblick aus einiger Entfernung war beeindruckend. Wir erblickten das herrschaftliche Anwesen am Ende einer großen Rasenfläche. Es war auf beiden Seiten von Bäumen umrahmt. Amy ging uns voran und zeigte auf das große Gebäude.

„Dieses wunderbare alte Herrenhaus, so sagt man, beschwört die Atmosphäre eines Adelshauses aus der Zeit von König Edward VII. herauf."

Michael pfiff ein Lied vor sich hin und hörte vermutlich gar nicht zu. Doch Amy war schon wieder ganz bei der Sache:

„Preston Manor stammt ungefähr aus dem Jahr 1600. Mehr als 100 Jahre später wurde es umgebaut und 1905 nochmals erweitert. Hier bekommt man eine Vorstellung, wie man Anfang des 20. Jahrhunderts gelebt hat."

Schon die Eingangshalle verschlug uns den Atem. Was für ein erlesenes Mobiliar und was für Teppiche! Wir bestaunten die Goldrahmen der Gemälde über und seitlich vom Kamin, Säulen im Durchgangsbereich, Gesimse an der Decke. Man wusste gar nicht, was man zuerst bewundern sollte. Michael brummelte «Schon schöner, als bei uns zu Hause», was mir ziemlich unpassend vorkam. Ich knuffte ihn in die Seite.

Der Kronleuchter leuchtete, die Wände waren farblich genau auf die Einrichtung abgestimmt. Es sah alles so aus, als würden gleich vornehme Herrschaften gemessenen Schrittes herein stolzieren.

Es war unglaublich: Auf vier Stockwerken waren über 20 Räume zu besichtigen. Angefangen von den Zimmern der Dienerschaft, bis zu den Küchen und der Vorratskammer des Kellermeisters. Dazu gab es natürlich noch Schlaf- und Kinderzimmer. Es nahm kein Ende. So hätte es mich auch kaum gewundert, wenn plötzlich ein Diener aus früheren Jahrhunderten aufgetaucht wäre. Nach der Besichtigung setzten wir uns im Freien auf eine Bank.

„Da gibt es noch etwas zu erzählen, über Preston Manor", begann Amy. Sie machte es spannend, indem sie einige Sekunden verstreichen ließ.

„Durch die Jahrhunderte erzählten die Leute von Geistern und übernatürlichen Phänomenen."

Mein Bruder wollte den starken Mann spielen und schnitt eine Grimasse. Aber insgeheim lief ihm bestimmt auch ein Schauder über den Rücken.

Kapitel 23: Gibt es in Preston Manor Geister?

Eine der Geschichten handelt von Schwester Agnes, einer Nonne. Sie lebte vor mehreren Jahrhunderten und soll Reisenden auf ihrem Weg geholfen haben. Dann gibt es noch Gerüchte über einen Leichnam, der unter dem Innenhof begraben worden und eine Hand, die an einem Bett vorbeigeschwebt sein soll..."

„Huh", entfuhr es mir. Bei der Vorstellung von dieser Hand wurde mir ganz unheimlich.

„Meine Lieblingsgeschichte ist aber die von einer Frau in Weiß und die einer eleganten Dame in Grau, die eine Treppe herabkommt, die ins Nichts führt."

Nun wurde es auch Mami unheimlich. Ein Glück, dass Preston Manor kein Bed & Breakfast war und wir im Fayfield House wohnten...

„Sogar heutzutage", fuhr Amy fort, „behaupten einige, dass sie Geister gesehen haben, Türen von selbst zugehen oder Lichter einfach so ausgehen. Andere beteuern, dass sie wirklich eine Geisterhand auf dem Türgriff gesehen haben."

Ich hielt mir eine Hand ans Herz. Was für Geschichten Amy auf einmal erzählte: So kannte ich sie gar nicht...

Gar nicht auszudenken, wenn ich heute Nacht eine Hand am Türgriff sehen würde! Eine Geisterhand...Michael kicherte vor sich hin, als würde er sich über mich lustig machen. Doch Mami meinte – zu meinem Erstaunen – sie habe auch schon seltsame Dinge erlebt.

Kapitel 24: Fish and Chips am Palace Pier

Abends hütete Margaret mit Mami das Haus. Peter und Amy nahmen mich und meinen Bruder mit an den Pier. Noch war geöffnet und vor den Ständen herrschte lebhafter Andrang.

Peter führte uns zu einer Bude, wo es ganz lecker roch. Er bestellte «Fish and Chips» für alle. Wir setzten uns auf eine Bank, machten uns über das köstliche Essen her und schauten in die Weite. Ich durfte gar nicht daran denken: Morgen Vormittag mussten wir schon langsam packen. Peter und Michael setzten sich für eine Weile ab und steuerten auf eine Bude zu, wo man mit Bällen auf Dosen werfen konnte. Amy sah mich aus großen Augen an. Ich sagte:

„Ich schicke dir bestimmt eine Postkarte."

„Wir bleiben in Kontakt."

„Meinst du, du kannst mich bald besuchen kommen?"

„Ich bin nicht sicher. Sobald es möglich ist, komme ich."

„Unseren Besuch hier werde ich nie vergessen."

Amy gab mir ein Zeichen: Peter und Michael kamen langsam zurück.

„Sollen wir noch einmal die Promenade entlang spazieren?"

„Ja, gehen wir ihnen entgegen."

Kapitel 25: Die Nacht vor der Abreise

In der Nacht schlief ich unruhig. Alles ging wie wild durcheinander in meinem Kopf: Die Abreise morgen, das Kofferpacken, der Besuch im Preston Manor. So viele Eindrücke.

Auf einmal wachte ich auf. Ich brauchte einige Zeit, um mir klar zu werden, ob ich träumte oder wach war. Da sah ich plötzlich, wie ein Lichtstrahl auf die Tür zulief. Ich klammerte mich an der Bettdecke fest und verhielt den Atem. War es der Mond, der bis in das Zimmer leuchtete? Meine Augen folgten dem Strahl bis zum Türgriff. Als ich dort eine weiße Hand sah, schrie ich laut auf. Die Hand von Preston Manor!

Da ging das Licht an, und mein Bruder lugte hinter der Tür hervor. Er lachte unverschämt. Das Licht stammte von einer Taschenlampe. Ich warf instinktiv mein Kissen nach ihm. Da hörte ich, wie eine Tür aufging. Schritte folgten...Oh, nein! Ich hatte ganz vergessen, dass andere schliefen. Michael schlich in sein Zimmer zurück und versteckte sich im Bett. Nun hörte man langsame, schwere Schritte, die immer näherkamen. Michael hatte die Taschenlampe ausgeschaltet. Doch in der Eile konnte er die Tür nicht mehr schließen. Nun hörte ich, wie jemand an seiner Türschwelle stand, dann langsam ins Zimmer trat. Mir lief es eiskalt über den Rücken.

„Hercules Poirot weiß *genau,* was hier vorging! Es macht also gar keinen Sinn, so zu tun, als würdet ihr schlafen. Du, junger Herr Michael, wolltest deine Schwester reinlegen. Aber du hast nicht daran gedacht, dass Hercules Poirot zu dieser späten Stunde noch wach ist! Da ihr morgen wieder nach Hause fahrt, werde ich aber nichts verraten, sondern schweigen wie ein Grab!"

Mit diesen Worten entfernte er sich. Wir blieben sprachlos zurück, bis wir in tiefen Schlaf fielen.

Kapitel 26: Abschied

Am nächsten Tag mussten wir uns nach dem Frühstück zuerst von Margaret verabschieden. Sie musste zurückbleiben, da Peter uns zum Flughafen fuhr.

„Vielen Dank, Margaret, von uns allen!", sagte Mami ganz feierlich.

Dann fiel sie ihr um den Hals.

„Versprich mir, dass ihr uns bald in Speyer besuchen kommt."

Als wir alle schon dabei waren, das Haus zu verlassen, schritt Martin die Treppen hinab. Es war rührend zu sehen, dass er an unseren Abschied dachte. Aber mein Bruder und ich hätten am liebsten den Kopf eingezogen. Wenn ich an die letzte Nacht, an meinen Schrei und den Wurf mit dem Kissen dachte...Zuerst meinte Mami, wir sollten hinaufgehen, um uns von ihm zu verabschieden. Aber Margaret entgegnete:

„Wenn er seine Filme schaut, ist es besser, sein Zimmer nicht zu betreten. Sonst könnte er denken, dass ihr gekommen seid, um seine Dienste als Detektiv in Anspruch zu nehmen…Ich werde ihm eure Grüße ausrichten."

Doch nun stand Martin vor uns.

„Ihr verlasst uns schon?"

Wieder lag ein liebenswürdiges, fast scheu wirkendes Lächeln auf seinen Lippen.

„Nun, da neue Pflichten rufen, muss ich es kurz machen: Ich wünsche euch allen einen guten Flug, einen höchst angenehmen!"

„Danke", sagte ich für uns alle, "danke, Mar, hm, Herr"

„Poirot", fiel er mir ins Wort – „Hercules Poirot!"

Er drückte uns nacheinander die Hand. Dann legte er wieder einen Arm auf den Rücken. Wir sahen noch, wie er mit kleinen Trippelschritten, seinen eleganten Stock in der Hand schwingend, das Haus verließ.

Auf der Fahrt zum Flughafen wirbelte es nur so in meinem Kopf. So viele Erinnerungen und Bilder: Der Chinese, der mich aus den Augenwinkeln ansah, Herr Albright und Frau Brown mit ihren Juwelen. Die etwas schweigsame Nichte, die sich als Löffeldiebin entpuppte...Der Palace Pier und der Royal Pavilion... Die Fahrt mit Volks Electric Railway...und die Geister aus Preston Manor...

Am Flughafen blieb uns kaum noch Zeit. Als Letztes verabschiedete ich mich von Amy. Sie zog die Stirn in die Höhe, so als wolle sie sagen:

„Was kann man da machen? Nun müssen wir uns verabschieden."

„Du bist meine beste Freundin. Danke für alles. Kommt uns bald besuchen."

„Lass dich umarmen", sagte Amy und drückte mich. Mein Bruder drückte ihr die Hand. Mami bedankte sich überschwänglich:

„Ihr alle müsst uns besuchen kommen, alle!"

Ihr alle? dachte ich. Und wer führt dann in der Zeit die Pension? Etwa Martin? Dann verabschiedeten wir uns noch von Peter.

„Gute Heimreise", wünschte er uns und fügte, an meinen Bruder gewandt, hinzu:

„Ich werde dir noch ein paar Autogramme von Fußballern schicken."

„Und ich schicke euch Fotos, die wir hier gemacht haben", gab mein Bruder zurück.

Wir winkten uns noch einmal zu. Dann verschwanden Peter und Amy langsam aus unserem Gesichtsfeld.

TEIL 2: MARIE, AMY UND DAS PHANTOMBILD

Kapitel 1: Wie lange werden sie bleiben?

Du wirst nicht glauben, was ich hier habe", sagte meine Mutter an einem Vormittag. Sie wedelte hinter ihrem Rücken mit etwas in ihrer Hand. Langsam wurde ich ungeduldig:

„Sag schon, mach es nicht so spannend."

Sie zog die Hand nach vorn und warf einen Brief auf den Tisch. So wie ein Kartenspieler ein *Ass* präsentiert.

„Einen Brief von Amy", jubelte ich, als ich eine englische Briefmarke und ihre Handschrift erkannte. Ich schnappte mir den Brief aus Brighton, lief auf den Balkon, riss den Brief auf und vergaß alles um mich herum:

„Liebe Marie,

hoffentlich geht es dir und deiner Familie gut. Wie du siehst, habe ich diesmal keine email geschrieben, sondern einen Brief. Es ist einfach persönlicher. Außerdem wollte ich dich überraschen.

Meinst du, wir könnten euch im Juni besuchen kommen? Du hast das berühmte Brezelfest erwähnt (Du wirst dich er-innern, dass ich das Wort kaum ausspre-chen konnte).

Falls ihr einverstanden seid, würden wir um diese Zeit kommen. Wir könnten eine Woche bleiben. Wir alle hoffen, euch bald wiederzusehen.

Viele liebe Grüße von mir, Margaret, Peter und auch von Martin.

PS: Da jemand im Fayfield House bleiben muss, würde ich mit Margaret kommen.“

Ich las den Brief gleich noch einmal. Amy will zum Brezelfest kommen? Ich lief sofort zu Mami und rief laut:

„Hurray!“

Nun war sie neugierig.

„Was gibt es denn, dass du Hurra schreist?“

„Nicht «»Hurra. Es heißt «Hurray». Du musst Englisch üben. Sie wollen zum Bre-zelfest kommen!“

„Oh“, stieß sie hervor und ließ etwas Bügelwäsche fallen.

„Da müssen wir uns aber vorbereiten. Schreib ihr, dass sie gerne kommen können. Wie lange werden sie bleiben?"

„Leider nur eine Woche. Peter kann aber nicht mitkommen."

„Also nur Amy und Margaret. Und *wir* waren zu dritt dort. Da müssen wir uns besonders anstrengen."

Was ich befürchtete, trat ein. Meine Mutter kramte – wie damals vor unsere Fahrt nach Brighton – ihre uralten Englisch-Bücher hervor. Ob beim Frühstück oder Mittagessen, beim Einkaufen oder Staubwischen: Sie redete in einer Tour nur noch Englisch. Zum Glück musste sie nicht mehr diesen fürchterlichen Satz einüben. Er klang mir immer noch im Ohr: «My name is Ingrid Fischer. This is my daughter Marie and this is my son Michael.»

Unsere Freunde in England kannten ja jetzt längst unsere Namen. Michael wird sicher enttäuscht sein und Peter vermissen. Amys Vater hatte sich so gut mit ihm verstanden, ihm Autogramme von Fußballstars besorgt, sogar noch ein Trikot geschickt. Auf dem Rücken trug es die

Aufschrift HENDERSON. Aber was konnte man da machen? Wir konnten Michael ja nicht während ihres Besuches nach Brighton schicken...Obwohl, die Idee gefiel mir.

Beim Mittagessen blies er Trübsal. Ich konnte mich auf Amy freuen und *er?* Unsere Mutter traktierte uns indessen wieder mit Englisch:

„Marie, all of us should make an effort to improve our English. We'll have to speak English for a *whole week.* So we must dedicate ourselves to learning vocabulary, grammar and pronunciation.“

...Prroonannziäääschen... Mami übertrieb es aber auch.

Kapitel 2: Auf, zum Hauptbahnhof

Drei Wochen später standen das «Brezelfest» und damit die Ankunft unserer englischen Freunde schon fast vor der Tür. Mami beauftragte eigens einen Installateur, der auf dem Balkon eine Satellitenanlage einrichtete. Damit konnte man original englische TV-Sender empfangen. So würde Margaret abends ihre Nachrichten sehen können. Sie verstand ja kaum ein Wort Deutsch.

„Sie wird überrascht sein", sagte Mami mit Genugtuung. Am Tag vor ihrer Anreise rief Margaret an. Sie bestand darauf, vom Frankfurter Flughafen mit dem Zug nach Speyer zu kommen:

„Ihr müsst wirklich nicht zum Flughafen kommen. Meine Tochter freut sich schon darauf, mit einem deutschen ICE zu fahren. Wir werden abends, um 19:05 Uhr, in Speyer Hauptbahnhof ankommen, Gleis 3."

Mami gab schließlich nach. «Speyer Hauptbahnhof»: Der Ausdruck amüsierte mich. Unser Bahnhof war ja nun wirklich nicht groß.

Schon war der Tag ihrer Ankunft gekommen. Um 18:50 Uhr sagte meine Mutter:

„Let's go to the main station together."

„Zum Hauptbahnhof?", zog ich sie auf. „Zu welchem Bahnhof denn sonst?"

Von unserem Haus war es zum Glück nur ein Katzensprung. Wir mussten nur eine Brücke über die Bahngeleise überqueren, dann waren wir schon in der Bahnhofstraße. Dort angekommen, wurde Mami zusehends nervös.

„We have to make sure that we wait at the right platform", sagte sie. Mir war es peinlich, dass sie vor allen Leuten Englisch mit uns sprach. Wozu? Es hörte doch jeder sofort, dass sie gar keine Engländerin sein konnte. Um Punkt 19:10 Uhr fuhr langsam ein Zug ein. Mein Bruder hielt mal wieder seine Hände in den Hosentaschen. Meine Aufregung wuchs und wuchs. Hoffentlich waren sie in den richtigen Zug eingestiegen...

Kapitel 3: Ankunft in Speyer

Immer mehr Leute stiegen aus, doch *wo* waren Margaret und Amy? Um die Situation noch peinlicher zu machen, holte Mami nun ein großes Schild hervor, auf dem in Großbuchstaben: WELCOME TO GERMANY, MARGARET UND AMY! geschrieben stand.

Da sah ich plötzlich, wie jemand von weitem winkte. Ein Mädchen, das genau wie Amy aussah, nur trug sie die Haare jetzt länger als letztes Jahr. Neben ihr war Margaret zu erkennen, die eine ganze Reihe von Gepäckstücken abzählte. Wir liefen schnell auf sie zu. Hoffentlich sagte Mami jetzt nicht aus Versehen wieder ihren Spruch vom letzten Jahr auf: «My name is Ingrid Fischer…» Aber dazu kam es zum Glück nicht. Margaret kam uns zuvor:

„Ihr seid also pünktlich", witzelte sie mit ihrem eigenartigen englischen Humor. Dann fügte sie hinzu:

„Sonst wären wir verloren. Wir freuen uns *so*, euch wiederzusehen!"

Und schon fielen uns die beiden um den Hals.

„Wir sind auch sehr froh, dass ihr da seid."

Amy überstand die resolute Umarmung von Mami, drückte meinem Bruder herzlich die Hand, dann umarmte sie mich.

„Endlich sehen wir uns wieder, Marie."

Wir halfen mit den Gepäckstücken und gingen in Richtung Taxistand voran.

Zu Hause angekommen, ließen wir unserem Besuch Zeit. Sie mussten sich erst einmal in ihren Zimmern einrichten, sich von der Reise erholen und langsam an eine andere Umgebung gewöhnen. Margaret verschwand für eine Weile im Bad, bis sie in einem praktischen Hausanzug auftauchte. Amy wusch sich die Hände und bürstete ihre Haare durch. Sie schüttelte die Anspannung der Reise schnell ab und war bald wieder putzmunter. Während mein Bruder half, den Tisch zu decken, überreichte Margaret ihre Gastgeschenke:

„Dies ist ein Kreuzworträtselbuch für dich, Ingrid. Und hier: Tee aus Yorkshire. Für Marie DVDs in Englisch, Filme nach Romanen von Jane Austen. Und für Michael Bücher über die Geschichte des «FC Liverpool» und von «Manchester United».

„Oh, Margaret, das war aber wirklich nicht nötig!"

Wir bedankten uns und waren über die Geschenke ganz aus dem Häuschen.

Michael war bald völlig in die Fußballbücher vertieft.

„Bis zum Essen ist noch etwas Zeit. Komm, Amy, gehen wir hinaus auf den Balkon."

Dort angekommen, schaute sie in die Weite.

„Siehst du, dort, hinter den Bäumen, kann man die Türme des Doms sehen."

Amy zog die Stirn in die Höhe.

„Ich sehe nichts, *wo*?"

„Hinter den Bäumen, dort."

Meine Besucherin streckte sich auf Zehenspitzen in die Höhe.

„Oh, ja, jetzt sehe ich sie. Kathedrale ist dasselbe wie Dom?"

„Ja. Der Dom wurde zum Unesco Weltkulturerbe ernannt", sagte ich stolz.

„Morgen können wir den Dom besichtigen, wenn du magst."

Amy freute sich.

„Und diese Kirchen da drüben?"

„Dies ist die St. Joseph Kirche und die andere…"

Ich wusste nicht, wie sie auf Englisch hieß. „Die andere heißt «Gedächtniskirche»."

Amy mühte sich mit der Aussprache des Wortes ab.

„«Gedächtnis» bedeutet «Erinnerung»."

„Und das Gebäude da drüben?"

„Das ist die «Edith-Stein-Schule», eine Schule für Mädchen. Auf dem Platz da unten treiben sie im Sommer Sport."

Während des Abendessens fragte Mami nach Peter und Martin. Margaret legte eine Brotschnitte zur Seite.

„Peter leitet jetzt das Fayfield House alleine und Martin..."

Sie atmete tief durch und sah uns vielsagend an.

„Er wird immer mehr zu einer «Attraktion». Wir bekommen mehr Gäste…Viele nennen ihn «den Poirot von Brighton»."

Wir wussten nicht, was wir sagen sollten. Sie bekamen mehr Gäste? Das war sicher erfreulich. Kürzlich hatte ich einen Film mit dem Detektiv Poirot gesehen. Martin sah ihm wirklich ähnlich.

Um Punkt 20.00 h wartete Mami mit ihrer Überraschung auf. Sie dirigierte uns alle ins Wohnzimmer. Dann schaltete sie den Fernseher ein und drückte auf der Tastatur herum: Ein Nachrichtensprecher von «Sky News» erschien und kurz danach *Boris Johnson,* der englische «Prime Minister».

Margaret und Amy staunten.

„Das ist ja unser Boris", sagte Margaret. Sie riss Augen und Ohren auf und klopfte sich auf die Schenkel. Nun sah man einen Bericht über das «House of Commons»:

„…Ich darf Sie daran erinnern, dass es *Ihre* Partei, die Labour Party war, die uns in diese missliche Lage gebracht hat! Da brauchen Sie gar nicht den Kopf zu schütteln, mein Herr, das führt zu nichts. Ich erinnere mich genau daran, wie Sie diese Politik hoher Steuern verteidigt haben! Und dann gaben sie das Geld der Steuerzahler mit vollen Händen aus."

Nun hörte man «Yeah, yeah, yeah». Eine ganze Reihe von Politikern nickte zustimmend.

„Ach, ja, diese Politiker", seufzte Margaret.

Kapitel 4: Im IMAX-Filmtheater

Am anderen Morgen brach ich mit Amy zum IMAX auf. Michael war von seinem Fußball-Buch nicht wegzubringen. Margaret hingegen war die ungewohnte Projektionstechnik auf die Riesenleinwand nicht ganz geheuer. Sie hatte Angst, dass ihr schwindlig werden würde. Mami schlug deshalb vor:

„Margaret, falls du magst, können wir zusammen auf den Markt gehen. Er ist sehr, hm, sehr…" Sie holte ihr Wörterbuch hervor und ergänzte ein englisches Wort für *malerisch*: „picturesque."

Die Idee gefiel, und so trennten wir uns.

In der Bahnhofsstraße stiegen wir in einen Bus.

„Die Tickets gelten den ganzen Tag", erklärte ich ihr. Als wir uns direkt gegenüber der «Villa Ecarius» befanden, deutete ich nach links:

„Ein schönes Gebäude, nicht wahr?"

Amy stimmte mir zu. Der Bus fuhr gemächlich durch das Zentrum. In der Maximilianstraße entdeckte sie schon aus der Ferne den Dom.

„Wunderbar!"

„Wir können auf dem Rückweg unterwegs aussteigen und Postkarten kaufen."

Der Bus fuhr nun gemütlich am «Historischen Museum» vorbei, bis wir am «Technik Museum», ganz in Nähe der «IMAX Kinos» angelangt waren.

Im IMAX kam ein Film über den «Grand Canyon».

„Der Film fängt gleich an."

Wir suchten uns in aller Ruhe einen guten Platz.

„Die Kinoleinwand ist ja riesig!"

„Und die Bilder sind brillant", gab ich zurück. Gleich zu Beginn kam Amy aus dem Staunen nicht mehr heraus.

„Es sieht alles so unglaublich echt aus", flüsterte sie mir ins Ohr. Dann schien mir, dass sie sich enger in den Sitz drückte.

Die Aufnahmen waren atemberaubend. Man hatte das Gefühl über den Grand Canyon hinweg zu fliegen, so, als würde man selber in einem Hubschrauber sitzen. Dann wieder ging es plötzlich bergab. Dazu kam die Akustik. Es war überwältigend. Amy gab manchmal kleine Laute von sich. Bald hörte ich: 'oh', dann 'ah', dann 'huu'. Einmal hielt sie sich die Hand vor den Mund. Als der Film zu Ende war, flüsterte sie:

„Jetzt ist mir ein klein wenig schwindlig."

Wir liefen zu Fuß bis zum Dom.

„Ein beeindruckendes Gebäude", sagte Amy.

„Wir werden den Dom morgen besichtigen, ja?"

„Ja, bestimmt."

Vor dem Hohenfeldschen Haus, unweit des Domes, entdeckten wir Postkarten."

Wir suchten 10 Karten aus und ich bestand darauf, zu bezahlen.

„Wir nehmen noch eine dazu und schicken sie Peter und Martin."

„Eine gute Idee."

Zu Haus angekommen, führte Amy die Postkarten vor.

„Was für eine schöne Stadt", rief Margaret aus. Sie sah sich die Karten in aller Ruhe an.

„Es ist schwer vorstellbar, dass Speyer über 2000 Jahre alt ist. Die Stadt musste ganz schön lange auf unseren Besuch warten."

Dann verriet sie Amy: „Später besichtigen wir das «Judenbad»."

Nach dem Mittagessen hielten beide einen kurzen Mittagsschlaf. Aber selbst jetzt – wo Margaret und Amy schliefen – wollte Mami nicht Deutsch reden.

„It's very i m p o r t a n t that we get used to speaking English."

„Du überteibst es mit der Aussprache, Mami: „Impoootent", ahmte ich sie nach.

Zum Glück zeigte sie diesmal Humor. Selbst Michael vergaß für einen Moment sein Fußballbuch und lachte herzhaft.

Kapitel 5: Im Judenbad

D as Judenbad ist nicht weit vom Dom entfernt", erklärte ich unseren Besuchern. Nachdem Amy damals in Brighton als Fremdenführerin glänzte, wollte ich mich nicht blamieren. So las ich vor ihrer Ankunft vieles nach und lernte es nahezu auswendig. „Diese Straße heißt «Kleine Pfaffengasse»".

Margaret mühte sich mit der Aussprache.

„Das Judenbad geht auf das 12. Jahrhundert zurück. Es gehört zu den ältesten dieser Art in ganz Europa und ist ein Ritualbad. Auf Hebräisch: Mikwe."

Mein Bruder mimte Interesse, aber ich glaube, er wäre lieber zu Hause geblieben. Bevor wir das Judenbad erreichten, ergänzte meine Mutter:

„Speyer war ein berühmtes jüdisches Zentrum. Hier lebten weise Juden, große Talmud-Gelehrte. Man sieht noch Ruinen der früheren Synagoge. Später zeige ich euch die Neue Synagoge. Die hebräischen Schriftzeichen auf der Fassade leuchten herrlich in der Abendsonne."

„Dein Englisch ist viel besser geworden, Ingrid", lobte Margaret.

„Also war es letztes Jahr schlecht?", fragte Mami ganz betreten, mit herabhängenden Mundwinkeln.

„*Nein,* Ingrid, überhaupt nicht. So meinte ich das nicht."

Wir gingen hinein. Margaret wollte die Eintrittskarten bezahlen, doch Mami wies dies zurück:

„Das kommt gar nicht in Frage!"

Nun gab sich sogar mein Bruder Mühe:

„Im Jahre 1084 gab es hier einen Bischof Rüdiger. Er sorgte dafür, dass die jüdische Gemeinde in der Nähe des Doms leben konnte."

Margaret und Amy waren schwer beeindruckt. Sie blickten die Treppen hinab über den Vorraum, bis zum 10 m tief gelegenen Badeschacht. Es schien, als würde die Stille von vielen Jahrhunderten im Raum liegen. Mami überlegte verzweifelt, wie sie «Kreuzgratgewölbe» übersetzen sollte. Wir stiegen die Treppen hinab.

„Hier tauchten sie in kaltes Wasser. Eine rituelle Reinigung, nach den Vorschriften von Moses."

„Kaltes Wasser, brrr. Nichts für mich", brummelte Michael vor sich hin. Ich stieß ihn in die Seite.

„Es scheint, dass sich das Bad über die Jahrhunderte kaum verändert hat", sagte Margaret. Sie sprach nun leiser. Die Atmosphäre des fast tausend Jahre alten Bades faszinierte. Das Gewölbe, die Treppenstufen und Steine. Alles war so erstaunlich gut erhalten.

„Genau", sagte Mami, „und mit der neuen Synagoge schließt sich ein Kreis."

„Steht sie hier in der Nähe"?

„Nein, am Sankt Guido-Stifts-Platz. Ich zeige sie euch später."

Wir verließen das Bad.

Kapitel 6: Spaziergang am Rhein

Meine Mutter schlug nun einen kleinen Spaziergang zum Rhein vor.

„Oh, wir haben gestern Abend vergessen, Peter anzurufen", sagte sie ganz bestürzt.

„Keine Sorge", erwiderte Margaret, „er gerät nicht schnell in Panik."

Wir gingen am Dom vorbei, die Treppen in den Domgarten hinab. Unseren Gästen gefiel der schöne Garten, die vielen Bäume. Bald waren wir schon in Nähe der «Fährmann-Skulptur». Ich versprach Amy, ihr vor dem Schlafengehen die Sage zu erzählen.

„Da drüben", rief Michael, „sieht man Leute, die Schach spielen. Seht ihr die großen Felder auf dem Boden?"

Amy und Margaret fanden dies kurios.

„Und weiter hinten spielen sie Minigolf."

Amy sah ihre Mami fragend an. Margaret willigte ein, und schon fanden wir uns alle in der Minigolf-Anlage wieder. Mami und Margaret spielten mehr die Zuschauer. Amy amüsierte sich köstlich. Doch Michael stellte alle in den Schatten. Er lochte so lässig ein wie ein Golfprofi. Nach einer Runde verließen wir die Anlage und schlugen den Weg ein, der zur Rheinpromenade führt.

„Jetzt werde ich also gleich den berühmten Fluss sehen?", fragte Amy in Vorfreude.

Wir gingen gemächlich, an Bäumen entlang. Viele Ausflügler waren unterwegs. Eltern schoben Kinderwagen vor sich her. Im Café auf der linken Seite servierten Kellnerinnen Getränke.

„Da sind wir schon."

Amy, Michael und ich liefen ein Stück voraus. Amy schaute hinaus auf den Strom, hielt sich eine Hand über die Augen:

„Er ist ganz schön groß. Und da drüben, was ist das?"

„Das ist der «Alte Hammer»", erwiderte ich, „ein Restaurant mit Biergarten. Im Sommer ist es sehr schön, dort zu sitzen und auf den Rhein hinauszuschauen. Die Beleuchtung abends ist romantisch."

Amy geriet ins Schwärmen. Als ich ihr *Alter Hammer* ins Englische übersetzte, kicherte sie.

„Eines Tages müsst ihr für längere Zeit kommen. Ich zeige euch ganz Speyer und die Umgebung."

Nun kamen auch die Nachzügler. Margaret blickte auf ein vorbeituckerndes Schiff: „Schön hier und die Leute scheinen sich hier sehr wohl zu fühlen."

Mami sah sich um und meinte: „Ich schlage vor, dass wir uns kurz setzen und etwas trinken. Da drüben ist noch frei."

„A l t e r H a m m e r", buchstabierte Amy.

Nach der Pause am Rhein führte Mami unsere Gäste aus England über die Maximilianstraße.
„Im Mittelalter wurde diese Straße «Via triumphalis» genannt. Die Leute konnten den Kaiser leibhaftig sehen."

Mein Bruder tauchte wieder aus der Versenkung auf. Er sagte zu Amy.

„Links siehst du das «Historische Rat-haus»."

„Der Baustil ist schön", kommentierte Amy.

Mami war gut vorbereitet:

„Es ist ein Bau des Spätbarock."

Dann zeigte sie zu einer italienischen Eisdiele. Sie kaufte jedem von uns ein Eis. Es schleckend, gingen wir ganz ge-mächlich zum «Altpörtel».

Kapitel 7: Hoch auf dem Altpörtel

Ich rief mir wieder alles Gelesene ins Gedächtnis:

„Das Altpörtel ist eines der größten Stadttore in Deutschland. 1176 wurde es erstmals erwähnt. Im Mittelalter war es Teil der Stadtbefestigung."

Wir machten uns auf und bestiegen den Turm. Margaret und Mami keuchten ganz schön, bis wir oben waren. Aber sie wurden belohnt.

„Was für eine herrliche Aussicht!", rief Margaret aus. Auch Amy konnte sich nicht satt sehen.

„F a n t a s t i s c h", rief sie lebhaft, „man sieht die ganze Stadt und weit darüber hinaus. Wie heißt denn der Turm da drüben?"

„Das ist der Turm der früheren «St. Georg-Kirche», der sogenannte «Läutturm». Läuten, wie: Glocken läuten."

Wir genossen alle noch einmal den herrlichen Panoramablick. Dann stiegen wir langsam wieder die Treppen hinab.

Am Abend saßen Mami und Margaret nach dem Essen an ihrem Kreuzworträtsel. Während ich mit Amy auf dem Balkon saß, hörte ich sie:

„6: Waagrecht: Illegal ein Gebäude betreten und daraus Dinge stehlen."

„Und morgen besichtigen wir den Dom, ja?"

„Ja, Amy. Und zwei Tage danach beginnt das Brezelfest!"

„Oh, das ist aufregend!"

„Morgen musst du unsere Brezeln probieren."

„Ich bin schon gespannt, wie sie schmecken."

Nach einer Weile gingen wir wieder in die Wohnung zurück. Mami und Margaret waren noch immer mit ihren «cross-words» (Kreuzworträtsel) beschäftigt:

„12, Waagrecht: Jemand betrügen, um Geld oder Güter illegal zu bekommen."

Warum, fragte ich mich, ging es jedesmal um Verbrechen? Wenn sie so weiter machen, werden sie noch schlecht schlafen. Nach einiger Zeit gähnte Amy. Die anderen schlossen sich bald an.

„Lassen wir es für heute gut sein", sagte Mami, indem sie eine englische Redewendung von sich gab. Den Ausdruck hatte sie sich von unserem Besuch in Brighton im letzten Jahr gemerkt.

Am nächsten Morgen brachen wir gleich nach dem Frühstück auf.

„Möchtet ihr zum Frühstück etwas Warmes essen?", fragte Mami.

Ich erinnerte mich noch gut an die warmen Eier und Bohnen, Würste, Toasts und Pilze in England. Margaret winkte ab:

„In Deutschland frühstücken wir wie die Deutschen, Ingrid."

Amy sagte:

„Ich mag eure Marmelade und die unglaublich vielen Brotsorten. Käse und Marmelade, Brot und Butter, ein Ei und Obst, mehr brauche ich nicht."

Amy wurde schnell zu einer richtigen Expertin im Busfahren. Sie kaufte selbst die Tickets, um ein paar Wörter Deutsch zu üben. In Nähe der alten Post stiegen wir schon aus.

„Nun musst du unsere berühmten Brezeln probieren."

Ich dirigierte Amy und Margaret zum nächsten Brezelstand und zählte schnell durch. Wir waren zu fünft.

„Fünf Brezeln bitte", flüsterte ich Amy ins Ohr. Ich steckte ihr das nötige Klein-geld zu und wiederholte den Satz. Amy wagte sich nach vorn:

„Fünf Brezeln bitte."

„Sehr gut", applaudierte Mami.

Amy verteilte die Brezeln. Dann pro-bierten sie und Margaret als Erste.

„Hm", murmelte sie, „*die* schmecken!"

„Zu salzig?", fragte ich.

„Nein, überhaupt nicht."

Kapitel 8: Im Dom

Hoffentlich war jetzt auf mein Gedächtnis Verlass, dachte ich, als wir den Dom betraten.

„Der Kaiserdom von Speyer", begann ich etwas aufgeregt, „ist die größte Kathedrale in romanischem Baustil von ganz Europa. Das Bauwerk ist 134 Meter lang. Die Kaiser betrachteten sie auch als Symbol für ihre Macht. Sie wollten hier begraben werden. Mit dem Bau begann man um 1030 unter Kaiser Konrad II."

„1061 wurde der Dom geweiht", warf Mami ein. Hoffentlich verliere ich jetzt nicht den Faden, dachte ich. Amy und Margaret blickten sich tief beeindruckt nach allen Seiten um.

„Die Kathedrale von Speyer hat eine Galerie, die das ganze Bauwerk umläuft. Der große Stadtbrand von 1689 zerstörte einen großen Teil davon. Später wurde er wieder restauriert."

„Sieh mal, Mami, die Gemälde."

Amy zeigte nach oben.

„Der Maler hieß Johann Schraudolph."

„S c h r a u d o l p h ?"

Amy schüttelte sich. Sie verzog das Gesicht, als habe sie in eine Zitrone gebissen. *Das* war aber jetzt ein schwieriger Name.

„König Ludwig I. von Bayern gab die Gemälde in Auftrag. 1950, während der Restaurierung, wurde ein Großteil der alten Gemälde entfernt."

„Warum das?", fragte Margaret.

„Einige meinten, dass die Gemälde nicht zum Baustil der Romanischen Kathedrale passten."

Uff, dachte ich. Das war ja so weit gut gegangen. Auf der linken Seite, schräg gegenüber dem Eingang zur Afrakapelle, standen einige Leute und betrachteten flackernde Lichter. Auch Amy kam näher und zündete eine Kerze an. Dann gingen wir alle zur Krypta.

Kapitel 9: In der Krypta

Und nun besichtigen wir einen ganz besonderen Ort, die Krypta!", verkündete Mami feierlich. Sie warf Münzen ein und gab uns die Richtung vor. Schon nach kurzer Zeit waren Margaret und Amy von der besonderen Atmosphäre ganz eingenommen. Die stille, geheimnisvolle Krypta übte ihre Faszination aus.

„Die Kathedrale war die offizielle Kirche der Salischen Kaiser", erklärte ich. Mein Bruder hätte aber ruhig auch etwas sagen können. Stattdessen schaute er nur müßig in der Gegend umher.

„Acht Deutsche Kaiser und Könige, vier Königinnen und einige Bischöfe wurden hier beerdigt."

„Oh, wirklich?", fragte Margaret. „Ganz schön viele, nicht wahr, Amy?"

Ihre Tochter nickte stillschweigend. Wir näherten uns langsam den Gräbern und versuchten, die Inschriften zu entziffern. So nach und nach bekam ich – mit der Hilfe meiner Mutter – alle zusammen:

Kaiser Konrad II, begraben 1039

Kaiserin Gisela, Frau von Konrad II, begraben 1043

Kaiser Heinrich III, begraben 1056

Kaiser Heinrich IV, begraben 1111

Kaiser Heinrich V, begraben 1125

Kaiserin Beatrix, begraben 1184

Agnes, Tochter von Friedrich Barbarossa, begraben 1184

König Philipp, begraben 1216

König Rudolf von Habsburg, begraben 1291

König Adolf von Nassau, begraben 1309...

Ich war erleichtert, als wir fertig waren.

„Hier in der Krypta wird man ganz andächtig", flüsterte Amy. Wir gingen langsam wieder nach oben. Vor dem Hauptportal der Kathedrale fiel Margaret sofort das große Becken auf, der «Domnapf». Auch damit erwischte sie mich nicht auf dem falschen Fuß. Ich war vorbereitet.

„Das Becken fasst mehr als 1500 Liter. Wenn ein neuer Bischof gewählt wurde, wird das ganze Becken mit Wein gefüllt."

„Und der Wein bleibt dort?", fragte Margaret.

„Nein, er wird kostenlos an die Leute ausgeschenkt, zum Feiern."

„Wenn er das nächste Mal gefüllt wird, Ingrid, müsst ihr mich einladen!", scherzte Margaret. Erleichtert, dass die Führung hinter mir lag, stimmte ich in die allgemeine Heiterkeit ein.

Kapitel 10: Spaziergang durch die Altstadt

Und nun?", sprach Mami zu sich selbst. Sie drehte sich auf dem Absatz um.

„Möchtet ihr die Altstadt sehen?"

Die Idee fand rundum Beifall. Mami schritt wieder einmal forsch voraus.

„Oh, was für schwierige Namen", rief Ami aus, „sieh mal, da drüben."

„Stuhlbrudergasse", las ich vor.

„S t u h l b r u d e r?" Amy schüttelte sich. „Ich werde nie Deutsch lernen."

Mami schaltete sich ein.

„Ich muss euch die Geschichte um die Stuhlbrüder erzählen. Sie ist wirklich interessant."

Amy kringelte sich. Das Wort hatte es ihr angetan.

„Die Kaiser wünschten, dass man jeden Tag an ihren Gräbern beten sollte. So wurde, eigens für diesen Zweck, eine Gemeinschaft gegründet: Die kaiserlichen Stuhlbrüder."

„Vom Mittelalter bis zum 18. Jahrhundert beteten sie in Nähe der Kaisergräber."

„Wer?", flüsterte mir Amy, schalkhaft lächelnd, ins Ohr.

„Die S t u h l b r ü d e r?"

Sie kicherte drollig.

Mein Bruder hatte sich schön aus der Affäre gezogen.

„Sag auch mal was", zischte ich ihm zu. Wir gingen die Stuhlbrudergasse entlang und bogen nach rechts ab. Bald waren wir am schönen Fachwerkhaus «Zum Halbmond» angelangt. An der Seite standen Tische im Freien. Einige Gäste ließen es sich schmecken.

„Ah, jetzt kann ich die Stufen sehen, die zur Kathedrale führen", sagte Amy.

Zu meiner Überraschung machte Michael den Mund auf.

„Auf der linken Seite sieht man die «Sonnenbrücke». Dort steht auch eine Statue von Sankt Nikolaus."

Margaret und Amy gefiel die romantische Altstadt mit ihren verwinkelten Gassen, den kleinen Häusern und interessanten Straßennamen.

„Dort unten sieht man den Eingang zum Hof, der zum «Kloster Sankt Magdalena» führt. Es stammt aus dem Mittelalter."

Margaret kommentierte: „Eure Stadt ist so voller Geschichte. Atemberaubend!"

Am Eingangstor angelangt, zeigte Mami auf eine Erinnerungstafel.

„Die berühmte Philosophin Edith Stein wirkte hier in den 1920er Jahren als Lehrerin. Sie war Jüdin, später ungläubig. Nachdem sie in einer Nacht ein Buch der heiligen Teresa von Ávila gelesen hatte, konvertierte sie zur katholischen Kirche und wurde Ordensschwester."

Das Gesicht meiner Mutter verfinsterte sich:

„Sie wurde von den Nazis umgebracht."

Für einige Sekunden trat Stille ein. Dann fügte sie hinzu:

„Johannes Paul II. sprach sie heilig."

Wir lösten uns langsam wieder von diesem Ort und zogen weiter durch die Altstadt.

„Von hier unten aus ist der Anblick der Kathedrale einfach herrlich", schwärmte Margaret. Ich traute meinen Ohren kaum. Michael sagte schon wieder etwas:

„Die Gegend wird «Hasenpfuhl» genannt."

Oh, Mann, dachte ich. Was sollten die Engländer *damit* anfangen?

„H a s e n p f u h l? Einige eurer deutschen Wörter sind wirklich erstaunlich", meinte Amy. „Hasenpfuhl", wiederholte sie, „ein seltsames Wort."

Nun führte Mami uns bis auf den «Holzmarkt». Margaret war begeistert von dem Ausblick auf eine Gartenwirtschaft. Am «Fischmarkt» angekommen, entdeckte Amy eine große Fischskulptur. In der Nähe spielten Jugendliche Tischtennis. Wir setzten uns eine Weile auf Bänke.

„Ich freue mich, dass es euch hier gefällt. Ach, übrigens, während des Brezelfestes kommen Besucher aus England. Eine Gruppe aus Spalding, eine unserer Partnerstädte."

„Oh, wirklich? Mal sehen, ob wir sie irgendwo ausfindig machen und begrüßen können", meinte Margaret. Man konnte sehen, wie sie sich hier mehr und mehr zu Hause fühlte.

„Wann beginnt denn das Brezelfest?"

„Übermorgen."

Amy rieb sich die Hände.

Zu Hause angekommen, legten wir nach dem Mittagessen eine Ruhepause ein. Amy und Margaret schrieben vorher noch die Postkarte an Peter und Martin.

„Ich gebe euch eine Briefmarke", sagte ich. „Morgen zeige ich euch, wo ihr die Karte einwerfen könnt."

Zwei Stunden später saß Mami schon wieder mit Margaret über ihrem Kreuzworträtsel. Ich zeigte Amy Bücher über Speyer in früheren Jahrzehnten. Sie freute sich am Anblick alter Fotografien. Ich versuchte, ihr die Texte in Englisch zu erklären. Am Abend sorgte Mami dafür, dass Margaret endlich zu Hause in Brighton anrief. Michael ließ sich von Margaret die Nummer geben, wählte und übergab den Hörer. Der wurde ja richtig aktiv, mein Bruder...

Kapitel 11: Anruf in England

Hallo, Peter? Ich bin es, Margaret. Wie geht es dir? Wie bitte? Kannst du etwas lauter sprechen?"

Margaret hielt kurz den Hörer weg und flüsterte uns zu:

„Im Hintergrund höre ich Gäste. Es ist ziemlich laut. Hallo? Uns geht es gut! Die Stadt ist sehr schön. Schade, dass du nicht mitkommen konntest. Wie geht es im Fayfield House? Steht es noch? Da bin ich aber erleichtert. Wie geht es Martin?"

Es verstrich einige Zeit.

„Oh, ich verstehe. Wir rufen nochmals an, bevor wir wieder nach Hause fahren, ja? Grüße ihn. Bis dann."

Sie legte auf.

„Was ist mit Martin?", warf Mami ein.

„Er fiel auf, als er durch die Stadt spazierte. Jemand war überrascht, als er sah, wie ähnlich unser Martin dem Schauspieler David Suchet in der Rolle von Hercules Poirot sieht. Er fotografierte Martin heimlich, und die Fotos landeten in einer Zeitung."

„Ich fürchte, eines Tages wird er noch, weit über Brighton hinaus, richtig berühmt werden."

Abends fuhren wir nochmals in die Stadt. Mami wollte mit uns Essen gehen und Margaret vielleicht noch eine unserer beliebten Weinstuben zeigen.

„Aber glaubt ja nicht, dass ihr ein Glas Wein bekommt", sagte sie zu mir und meinem Bruder.

„Ich fürchte, du bekommst auch keinen Wein, Amy", meinte Margaret. Sie strich ihr mit dem Finger über die Wange, so als täte es ihr leid. Eine Station nach dem Altpörtel stiegen wir aus.

„Möchtet ihr drinnen oder draußen sitzen?", fragte Mami.

„Lieber draußen."

Kapitel 12: Die Alte Münze

Mami entschied sich für die «Alte Münze» in der Korngasse. Unsere Gäste erfreuten sich an dem alten Fachwerkhaus und Sitzbänken im Freien. Wir setzten uns ganz in die Nähe von einem dunkelgrünen, weit aufgespannten Schirm. Mami bestellte zwei Gläser Weißburgunder aus der Pfalz.

„Und für die Kinder?"

Die nette Kellnerin schlug vor:

„Da haben wir z. B. Orangensaft, Apfelsaft, oder Kirschsaft?"

Wir debattierten, bis ich die drei Säfte bestellte. Für Amy Kirsch-, für Peter Apfel- und für mich Orangensaft.

„Kirschsaft' is made from 'Kirschen', 'cherries`, erklärte ich Amy.

Sie nippte an ihrem Saft und sagte: "Ahaaa."

Am nächsten Vormittag wollte Mami mit Margaret ins «Altpörtel-Café». Was für eine Idee! Um *diese* Uhrzeit Torte essen? Zu meiner Überraschung wollte Michael mitkommen:

„Von dort hat man eine gute Aussicht. Kann ich mitkommen?"

So ging ich mit Amy getrennte Wege. Wir fuhren bis zum Dom. Amy war gespannt und fragte sich, was ich wohl vorhabe. Doch ich verriet ihr nichts.

„Folge mir einfach. Du wirst schon sehen."

Im Domgarten spielten Jugendliche Frisbee. Ein Rentner ging mit seinem Stock an uns vorbei.

„Und nun nach rechts", gab ich die Richtung vor.

„Wohin gehen wir?", fragte Amy.

„Warte."

Als wir vor dem Gebäude standen, stand ihr die Überraschung ins Gesicht geschrieben:

„Ein Sea Life Center!"

„Erinnerst du dich, wie wir das Sea Life Centre in Brighton besucht haben?"

„Aber, ja."

Kapitel 13: Im Sea Life Center

Hier können wir dem Rhein von seinem Ursprung in den Alpen bis ins Meer folgen."

Am meisten gefielen Amy der acht Meter lange Unterwassertunnel und die «tropische Lagune der Haie».

„Unglaublich, wie farbenprächtig die Fische sind. Und sieh mal: Haie!"

Sie zogen, ganz in der Nähe, an unseren Augen vorbei. Wenn man sie ansah, fühlte man sich fast wie hypnotisiert.

„Das Sea Life Center beherbergt über 3000 Tiere und 100 verschiedene Arten."

Amy ließ sich die Namen einiger Tiere auf Deutsch sagen. Sie wollte neue Wörter. So nannte ich ihr «Clownfische, Langu... Hummer und Makrelen, Krebse und Se... rne, Seeigel und Anemonen» und ließ ie die Wörter nachsprechen.

„Ich mag am liebt n die 'Seesterne, Anemonen' und...wi ar noch der andere Name? 'Clowr che'? Das klingt lustig."

Im Anschluss an unseren Besuch streiften wir noch etwas durch die Stadt. Um 12.00 Uhr sollten wir alle wieder zu Hause sein. Unterwegs erzählte ich Amy die Sage vom Fährmann:

Kapitel 14: Die Sage vom Fährmann und der Alte Friedhof

Einst, in lang vergangenen Zeiten, bat eine geheimnisvoll verkleidete Person den Fährmann, ihn auf die andere Rheinseite zu fahren.

Außer ihm waren noch sieben andere Fahrgäste dabei. Als sie ihre Mäntel ein wenig hoben, um den Fährmann zu bezahlen, entdeckte er darunter Schwerter, Gold und Juwelen. Jeder gab dem Fährmann eine Münze und verschwand daraufhin in Richtung Kathedrale. Der Fährmann sah genauer hin und entdeckte auf jeder Münze das Bildnis des Kaisers. Da verstand er, dass die geheimnisvollen Männer die acht Kaiser waren! Sie waren zurückgekehrt, um das Reich zu einen."

„Ich mag diese Geschichte", beteuerte Amy. „Ich kann mir das richtig vorstellen."

Auf Höhe der Brücke angekommen, die über die Bahngeleise führt, sagte ich:

„Wenn du magst, können wir zum «Adenauerpark» gehen, gleich da drüben. Ich denke, er ist einer der schönsten Parks in Speyer."

Wir traten ein, genossen die wohltuende Ruhe dieses Ortes und drehten eine Runde.

„Hier im Umkreis sieht man noch alte Grabsteine, die unter Bäumen und zwischen Büschen versteckt liegen."

„Oh, wirklich? Eure Stadt, scheint es, ist voller Geschichte und Geheimnisse."

Amy machte sich gleich auf die Suche. Sie sah sich überall um, ob ein Grabstein zu entdecken war.

„Hier ist einer!"

„Die Gegend hier wurde über Jahrhunderte als Friedhof genutzt."

„Und nun laufen hier Leute herum", bemerkte Amy nachdenklich.

„Das ist eine ganz besondere Atmosphäre hier, nicht wahr?"

Wir betrachteten uralte Bäume, windschiefe Grabsteine, Kreuze und Säulen. An vielen Stellen war alles von Efeu, von Farnen und Sträuchern überwachsen.

„Einige der Grabsteine sind so alt, dass man kaum noch die Inschriften lesen kann."

Wir entdeckten zersprungene Platten, lauschten dem Rauschen der Blätter und dem Gesang der Vögel. Amy war fasziniert von der «Gotischen Kapelle» und dem Seerosenteich mit Goldfischen.

„Wie still es hier ist. Und draußen fahren Autos vorbei, Leute haben es eilig."

„Im Sommer werden hier Musikkonzerte aufgeführt."

„Das muss sehr romantisch sein."

Wir sahen uns noch einmal um und verließen den Park.

Nach dem Mittagessen hörte ich, wie Amy die alte Sage vom Fährmann ihrer Mutter erzählte. Die Geschichte hatte sich ihr gut eingeprägt.

Später widmeten sich Mami und Margaret wieder ihren geliebten Rätseln. Mein Bruder führte Amy seine Fußballvideos vor. Abends sahen wir uns gemeinsam die englischen Nachrichten an, bis Margaret vor dem Fernseher einnickte und so ließen wir den Tag langsam ausklingen.

Kapitel 15: Im Brezelfest-Fieber

A m nächsten Morgen war Amy nach dem Frühstück schon startklar.

„Weißt du, welchen Tag wir heute haben?", fragte ich sie.

„Natürlich, Brezelfest Tag!"

Sie konnte es kaum noch erwarten.

„Es beginnt aber erst um 19.00 Uhr, in Nähe des Rathauses. Bis dahin kann ich dir also noch etwas über die Geschichte des Festes erzählen."

Wir zogen uns auf den Balkon zurück.

„Sie eröffneten ein Brezelfest, unter anderem, um das Geschäft für Brauereien, Bäckereien anzukurbeln. Aber das Fest damals war schon anders als das heutige Brezelfest, der größte Jahrmarkt der ganzen Region."

„Und die Brezel?"

„Die Form erinnert an die Arme eines Beters. Fromme Mönche erfanden sie vor Jahrhunderten."

„Ich sah eine Zeichnung in der Zeitung von einem kleinen Jungen, der eine Brezel und einen Bierkrug hält. Er sah richtig süß und lustig aus."

„Oh, ja. Er heißt Brezelbub."

„B r e z e l b u b?"

Amy amüsierte sich.

„Bub, wie in Englisch «boy»."

„Das ist ja niedlich."

Nun kamen auch Margaret, Mami und Michael hinzu. Sie machten es sich auf dem Balkon gemütlich.

„Die Brezel", flocht Mami ein, „ist hier eine Art Nationalgebäck. Sie ist sehr beliebt."

„Die Leute werden vom Salz Durst bekommen", mutmaßte Margaret.

Ja, das Salz auf der Brezel machte Durst. Die Brauereien und die Leute vom Bierausschank freuten sich bestimmt. Mami gab unseren Gästen nun einen kleinen Vorgeschmack des Festes. Sie schilderte ihnen den süßen Duft frisch gebrannter Mandeln über dem Festplatz, erzählte vom «Schwarzwald-Haisel» und knackigen Bratwürsten vom Grill. Sie schilderte malerisch die Vielfalt der Buden und Stände, der Live-Musik, Karusselle und anderer Unterhaltungsangebote, bis wir alle vom Brezelfest-Fieber ergriffen wurden.

„Vielleicht bekommen wir ja ein T-Shirt mit dem berühmten Brezelbub darauf", stellte Mami in Aussicht. Amy strahlte bei der Vorstellung.

Dann erzählte meine Mutter noch vom großen Festzelt, den gemütlichen Biergärten und dem fantastischen Ausblick vom Riesenrad: Aus 50 Metern Höhe über Dom und Stadt bis weit über den Rhein.

Kapitel 16: Eröffnung des Brezelfestes

Abends um 18:30 Uhr zogen wir alle los. Schon bevor wir auf der Maximilianstraße ankamen, entdeckten wir Scharen von Brezelfestbesuchern. Manche trugen Buttons mit dem Logo des Brezelbubs, andere schwenkten kleine rot-weiße Fahnen. Je mehr wir uns dem Stadtzentrum näherten, desto mehr nahm die Stimmung zu: Jubel, Trubel und Heiterkeit, wohin man auch schaute.

„Bald wird die Oberbürgermeisterin von Speyer eine Rede halten, um das Fest zu eröffnen."

Wir lauschten ihrer Ansprache. Ich bedauerte, dass Amy und Margaret die ein oder andere humorvolle Anspielung nicht mitbekamen.

Mami entdeckte einen Stand, an dem man rot-weiße Fahnen mit dem Brezelbub darauf kaufen konnte. Der stemmte mit der Linken eine angebissene Brezel in die Höhe. Mit der Rechten umklammerte er einen schäumenden Bierkrug.

Er trug einen Hut, lächelte und schaute aus blau-schwarzen Kulleraugen so fröhlich. Sie kaufte für jeden von uns eine Fahne. Wir ließen uns vom Brezelfest-Flair einfangen. Bald liefen wir, unsere Fahnen schwenkend, die Straße entlang.

„Margaret, schau mal, die Gruppe da drüben. Ich glaube, sie kommen aus England."

„Yes, they are from Spalding", bestätigte mein Bruder trocken. So gingen wir alle auf die Reisegruppe aus Spalding zu. Die staunten nicht schlecht, als Margaret sie ansprach.

„Kommen Sie vielleicht aus Spalding?"

„In der Tat! Das ist ja eine schöne Überraschung. Woher kommen *Sie* denn, wenn ich fragen darf?" fragte eine rüstige ältere Dame aus Spalding. Sie trug einen eleganten Hut. Die Finger ihrer anderen Hand spielten mit ihrer Halskette.

„Wir sind aus Brighton. Dies ist meine Tochter Amy. Und dies sind Ingrid, ihre Tochter Marie und ihr Sohn Michael. Wir sind bei ihnen zu Gast."

„Das ist ja reizend, nicht wahr, John?", fragte sie ihren Mann. Der stemmte einen Bierkrug in die Höhe.

„Aus Brighton sagtest du?", fragte er etwas zerstreut. Er brach eine Brezel entzwei. Wir verabschiedeten uns und schlugen den Weg zum Festplatz ein. Dort angekommen blickten wir alle in die Höhe zum Riesenrad. Mami kaufte Lebkuchen und Mandeln und Lakritze. Wir ließen unsere Blicke über die Menge schweifen. Mein Bruder wollte unbedingt eine Runde Autoscooter fahren. Amy und ich machten uns selbstständig. In einer Stunde – so machten wir aus – würden wir uns alle wieder am Schwarzwald-Haisel treffen.

Kapitel 17: Hast du *das* gesehen?

Amy und ich fuhren eine Runde Geisterbahn. Einmal erschrak sie richtig und stieß einen gellenden Schrei aus. Als wir wieder draußen waren, fragte ich sie:

„Möchtest du Riesenrad fahren?"

Das englische Wort für Riesenrad hatte ich heute Morgen extra noch im Wörterbuch nachgeschlagen. Amy legte sich eine Hand aufs Herz und blickte beklommen in die Höhe.

„Ich bin mir nicht sicher, lass mich nachdenken."

Da blickte sie auf einmal in die Nähe des Kassenhäuschens.

„Hast du das eben gesehen?", fragte sie mich aufgeregt.

„Nein, was denn?"

„Der Mann"

„Was für ein Mann?"

„Der Mann, der gerade ein Ticket gekauft hat und jetzt zum Riesenrad geht."
„Was ist denn passiert?"

„Er stand mitten in einer Gruppe von Leuten, und ich sah, wie er die Hand ausstreckte... Er hat einer alten Frau, die in der Nähe stand, den Geldbeutel geklaut!"

„Bist du sicher?"

„Ja! Das heißt., ziemlich sicher."

„Wo ist der Mann jetzt?"

„Die alte Frau, die er beklaut hat", – Amy sah sich um – „ich kann sie nicht mehr sehen!"

Wir blickten wie gebannt zum Riesenrad hoch. Wo war der Mann, der die Geldbörse stahl? War Amy sich auch ganz sicher? Wenn wir nur die ältere Dame nicht aus den Augen verloren hätten. Wir eilten in die Richtung, in der wir die Dame vermuteten. Amy beschrieb sie mir, doch wir konnten sie nirgends erblicken. Amy versicherte mir, sie sei sich fast zu hundert Prozent sicher, dass er sie bestohlen habe.

„Aber es passierte alles so schnell."

Sollten wir damit zur Polizei gehen? Wenn Amy sich wenigstens *ganz* sicher wäre. Und wo war der Mann? Wir eilten zum Riesenrad zurück. Er musste ja bald wieder da sein. Als wir ankamen, stiegen bereits andere Leute ein. Der Dieb hatte bestimmt schon das Weite gesucht.

„Meinst du, wir sollten es deiner und meiner Mutter erzählen?"

„Ich weiß nicht."

Amy beschrieb mir den Mann. Wir hielten die Augen offen. Vielleicht würden wir ihn ja in der Menge erspähen. Er beließ es bestimmt nicht bei einem Geldbeutel.

Am Schwarzwald-Haisel angekommen, verrieten wir den anderen gar nichts. Wir aßen alle eine leckere Bratwurst mit Senf und tranken eine Apfelsaft-Schorle dazu. Neu gestärkt machten wir uns nochmals auf in die Innenstadt. Amy, mein Bruder und ich streiften uns nun ein Brezelfest-Hemd über.

„Diese Brezeln machen wirklich Durst", sagte Margaret. Wir genossen die malerische Atmosphäre. Mami und Margaret sonderten sich ein wenig ab. Nach einiger Zeit sahen wir, wie sie ein Bier stemmten.

„Schade", kommentierte Amy, „dass wir kein Bier trinken dürfen."

Dann fügte sie hinzu: „Das war natürlich Spaß."

Es herrschte ein ständiges Kommen und Gehen. Mütter schoben ihre Kinder im Kinderwagen vor sich her. Kleine Hände schwenkten Fähnchen, überall standen Gruppen zusammen oder saßen gemütlich auf Holzbänken. Der Duft von leckeren Gerichten breitete sich aus. Unsere Engländer werden viel zu erzählen haben, wenn sie wieder zu Haus sind, dachte ich. In diesem Moment entdeckte Amy wieder die Gruppe aus Spalding.

„Komm, wir gehen mal zu ihnen", lud sie mich ein. Wir merkten uns, wo Mami, Margaret und Michael standen und setzten uns ab.

Kapitel 18: Jemand hat meinen Geldbeutel gestohlen!

Ah, die junge Dame aus Brighton", begrüßte uns die ältere Dame mit dem eleganten Hut. Inzwischen war ihre Gruppe größer geworden.

„Wir kommen fast jedes Jahr nach Speyer, nicht wahr?", wandte sie sich an ihren Mann und an Amy. „Nun, einmal konnten wir nicht, wegen meiner Arthritis."

Amy blickte plötzlich in eine andere Richtung.

„Ich bin mir nicht sicher, aber es könnte *dieser* Mann sein", rief sie aus.

„Wer?"

„Der Mann, der den Geldbeutel gestohlen hat!"

Wir ließen die ältere Dame stehen und näherten uns dem Mann.

„Ich kann es sehen. Er stiehlt schon wieder!", brachte Amy aufgeregt hervor.

Da hörten wir auch schon Schreie.

„Meine Geldbörse! Jemand hat sie entwendet!"

„*Wo* ist er, *wo* ist der Mann?", rief Amy mir zu. Inzwischen war der Andrang so groß, dass wir kaum noch durchkamen. Nun hörten wir ein aufgeregtes Stimmengewirr. Sie sah sich überall um.

„Ich glaube, jetzt sehe ich ihn", rief sie mir zu. „*Da* entlang!"

Wir versuchten, in diese Richtung vorzustoßen. Doch überall begegneten uns Hindernisse. Wir stießen mit anderen zusammen, eilten davon und wurden wieder gestoppt. „Passt doch auf!"

„Bist du sicher, dass *er* es ist?", fragte ich atemlos. Wenn er es war, könnten wir ja laut „Haltet den Dieb rufen", fuhr es mir durch den Kopf. Aber wenn er es dann doch nicht war, welch eine Blamage! Vielleicht würden wir sogar noch Ärger bekommen.

Kapitel 19: Verfolgungsjagd

Amy verlor ihn wieder aus den Augen. Aber so schnell gaben wir nicht auf. Hoffentlich, so dachte ich, werden Mami und Margaret uns jetzt nicht suchen.

Auf der Höhe des Stadthauses waren wir schon fast außer Atem. Von allen Seiten strömten Leute auf die Maximilianstraße oder von dort aus in Richtung Festplatz. Manchmal war kaum ein Durchkommen. Es war der reinste Hindernislauf.

„*Da*, da vorne", rief Amy laut, „das muss er sein!"

Wir eilten am Dom vorbei in Richtung der Treppen, die zum Restaurant Am Halbmond hinabführten.

„Der Bart", rief Amy mir zu, „vorhin trug er keinen Bart!"

Was meinte sie jetzt? Er hatte plötzlich einen Bart?

„Ich kann ihn sehen."

Wir beschleunigten unsere Schritte. Jetzt schien es, dass er uns bemerkte. Der Mann vor uns lief schneller und schneller, eilte die Treppen hinab.

„Halt, Polizei!", schrie Amy plötzlich ganz laut.

Der Mann drehte sich unwillkürlich einen Moment um. Dann lief er so schnell, dass wir ihn nicht mehr einholen konnten.

„Und nun?", fragte mich Amy ganz außer Atem.

„Kannst du dich an sein Gesicht erinnern?"

„Ja, sicher."

„Dann gehen wir schnell zur Polizei."

Wir liefen, so schnell wir konnten, bis zu dem Stand, an dem wir die anderen zurückgelassen hatten. Dann erzählten wir Ihnen, wie außer Atem, von dem Mann auf dem Festplatz und allem, was wir gesehen hatten. Bald auf Englisch, bald auf Deutsch, es ging alles durcheinander. Einige Minuten später betraten Amy, Mami und ich die Polizeiinspektion Speyer. Margaret und Michael warteten

an einem Stand am Altpörtel. Wir sprachen bei einer Frau in Polizeiuniform vor.
Sie leitete uns weiter. Bald schon saßen
wir im Dienstzimmer eines Polizisten.

Kapitel 20: In der Polizeiinspektion

So, begann dieser mit ernster Miene. Ihr habt also einen Diebstahl oder zwei Diebstähle beobachtet."

Er sah uns fragend an und fügte hinzu. „Wer?"

Ich zeigte auf Amy. Nun ließ er eine ganze Reihe von Fragen vom Stapel. Er wunderte sich, dass Amy nichts sagte.

„Sie ist Engländerin", erklärte ich ihm.

Er zwirbelte seinen Schnurrbart und brummelte: „Hm!"

Dann sagte er laut:

„Wenn das so ist. Mein Englisch ist nicht besonders gut."

Es sah aus, als überlegte er, ob er einen Kollegen oder eine Kollegin zu Hilfe rufen sollte. Ob er wohl ein richtiger Kommissar ist, fragte ich mich. Da sagte Mami:

„Meine Tochter und ich können helfen."

Ich setzte mich kerzengrade hin. Jetzt wurde es spannend.

„*Wo* hast Du den Dieb zuerst gesehen? War es jedes Mal dieselbe Person?"

Da ging die Tür auf. Eine Polizistin kam herein und tuschelte ihm etwas ins Ohr. „Verstehe", sagte er, als sie draußen war.

„Inzwischen sind zwei Diebstähle gemeldet worden."

Ich dolmetschte zwischen dem Polizisten und Amy hin und her.

„Amy und ich haben ihn am Festplatz gesehen. Beim Riesenrad. Er langte jemand in die Tasche. Dann haben wir ihn aus den Augen verloren."

Der Polizist nickte.

„Wie sah er aus?"

Mami und ich übersetzten hin und her. Amy blickte etwas ratlos drein.

„Es ist nicht leicht, ihn zu beschreiben. Als ich ihn das zweite Mal sah, trug er einen falschen Bart."

„Einen falschen Bart?!?", fragte der Polizist ungläubig. Er erhob sich und schritt im Raum auf und ab.

„Sie ist sich ganz sicher", sagte ich mit fester Stimme. Sollte der einmal an den Aussagen meiner Freundin Amy zweifeln! Der Polizeibeamte runzelte die Stirn.

„Wie weiß sie dann, ob es dieselbe Person war. Vielleicht waren es zwei Männer. Kann sie ihn beschreiben?"

„Er hatte dieselben Kleider an. Meinst du, ich kann einen Zeichenstift und Papier bekommen?"

Der Polizeibeamte blickte so, als sagte er: Sonst noch was? Doch er sagte nichts. Stattdessen rief er jemand an. Es dauerte nicht lange, und Amy hatte einen kleinen Stapel Papier und einen dicken schwarzen Filzstift vor sich. Nun setzte sie sich an einen Tisch in der Ecke, besann sich und fing an zu zeichnen. Der Polizeibeamte vertiefte sich derweil in eine Akte, bis Amy nach einigen Minuten fertig war. Sie reichte ihm zwei Blätter.

Kapitel 21: Das ist mehr als erstaunlich!

Das ist erstaunlich", stammelte der Polizeibeamte, „das ist mehr als erstaunlich!"

Seine Miene hellte sich deutlich auf. Er schlug mit der Faust auf den Tisch. Amy strahlte über beide Backen. Nun warfen wir einen Blick auf ihre Zeichnungen. Auf einem Blatt war der Mann *ohne* Bart, auf dem anderen *mit* Bart zu sehen. Das Gesicht war sehr markant gezeichnet. Man sah ganz charakteristische Züge. Amy hatte Talent und wie!

„Ich wusste nicht, dass du so gut zeichnen kannst", flüsterte ich.

„Kommt doch bitte alle mal mit", sprach der Polizeibeamte etwas geheimnisvoll.

Er ging uns voraus, bis wir in das Zimmer eines Kollegen kamen. Der saß vor einem großen Computer.

„Hier, sieh Dir mal *das* an, Heinz!"

„Donnerwetter! Wer hat *das* denn gezeichnet?"

„Diese junge Engländerin hier."

Ich war mächtig stolz auf meine Freundin.

„Und *wer* soll das sein?", fragte der Kollege.

„Bei uns gingen zwei Meldungen von Diebstählen ein. Sie meint, sie hat den Dieb gesehen. Einmal mit, einmal ohne Bart".

„Ach!"

„Kannst Du mal eben nachsehen?"

„Mach ich doch glatt, wenn Du mich fragst."

Der Kollege rief nun ein Programm auf, in dem die Fotos von vielen Personen gespeichert waren. Dann gab es noch eine Datei mit gezeichneten Gesichtern. Lauter Leute, von denen es eine Beschreibung gab und nach denen gesucht wurde. Amy, Mami und ich waren furchtbar gespannt. Der Fachmann am Computer suchte und suchte, verglich und öffnete Bilder. Er schloss sie wieder und suchte von neuem, bis er auf einmal laut „Halt mal!" von sich gab.

Der Polizeibeamte trat näher, warf einen Blick auf Amys Zeichnungen. Dann schnalzte er mit der Zunge, hieb seinem Kollegen auf die Schulter.

„Ich glaube, das passt."

Nun lud uns der Computerspezialist ein, näher zu kommen. Das Bild im Computer und Amys Zeichnungen, die Ähnlichkeit war verblüffend.

„Gratuliere."

„Amy", sprang ich schnell ein.

„Gratuliere, Amy".

Er besann sich und fügte hinzu: „Very well done!"

Er klatschte in die Hände. Der Polizeibeamte ließ sich noch beschreiben, wohin der Dieb geflüchtet war. Er bedankte sich nochmals und geleitete uns zum Ausgang:

„Wir müssen jetzt aktiv werden", raunte er mit bedeutungsvoller Miene.

Als wir wieder zu Hause waren, gab es kaum noch ein anderes Thema: Amy und der Taschendieb, die Verfolgungsjagd. Und dann – als Krönung – ihre Zeichnungen. Margaret war im Ausnahmezustand. Sie bat Mami, kurz zu Hause anrufen zu dürfen.

„Natürlich, fühl dich ganz wie zu Hause.‟

Michael wählte wieder die Nummer, übergab den Hörer, und schon stammelte Margaret in den Hörer:

„Peter, hallo? Bist du es? Ach, du bist es, Martin. Peter ist oben? Verstehe. Neuigkeiten? Nun, ja, in der Tat. Stell dir vor, Amy und Marie haben diesen Abend einen Taschendieb verfolgt! Amy sah ihn zweimal und konnte ihn der Polizei beschreiben. Sie fertigte sogar eine erstklassige Zeichnung für sie an!‟

Mein Bruder drückte auf eine Taste und schon konnten wir alles laut und deutlich mithören:

„Dies überrascht Hercules Poirot überhaupt nicht! Ich habe schon lange beobachtet, dass Amy eine ausgezeichnete Beobachtungsgabe hat. Sie hat etwas, was man heutzutage selten findet: Den Sinn für wichtige Details. Darin ist sie mir ein klein wenig ähnlich. Ich werde es Peter erzählen und wünsche einen Abend, einen höchst angenehmen, an alle."

Man hörte, wie er auflegte.

So schnell wurde niemand von uns müde. Mami schenkte Margaret ein Glas Pfälzer Riesling und uns drei Fruchtsäfte ein. Dann machten wir es uns auf dem Balkon gemütlich. Mami zündete eine Kerze an, die rundum von Glas geschützt war. Es war noch angenehm warm draußen. Wir schauten in die Ferne, in Richtung Innenstadt und Festplatz, dem heutigen Schauplatz aufregender Abenteuer.

„Also hat euch das *Brezelfest* gefallen, obwohl wir später auf der Polizeistation gelandet sind?"

„Oh, ja", gab Amy gleich zurück, „mir gefiel es sehr!"

„Mir auch", schloss sich Margaret an.

„Es ist noch nicht vorbei, es dauert bis Dienstag."

Nun wurden wir alle etwas traurig. Am Dienstag werden sie schon wieder in England sein, dachte ich. Doch meine Mutter wollte keine trübe Stimmung aufkommen lassen. Sie hieß uns alle anstoßen.

„Auf unsere Freundschaft", sagte sie vor.

„A toast to our friendship", stimmte Margaret ein. Wir stießen rundum an. Dann tranken wir langsam unsere Gläser aus und ließen den Tag besinnlich ausklingen.

Kapitel 22: Eine große Überraschung

Am nächsten Morgen schliefen wir alle etwas länger. Als wir aufstanden, war der Frühstückstisch schon gedeckt.

„Ich habe eine große Überraschung für euch", sagte meine Mutter mit einem besonderen Ton in der Stimme.

„Eine Überraschung?"

Wir alle sahen uns fragend an.

„Setzt euch."

Sie machte es jetzt richtig feierlich. Als wir saßen, schenkte sie uns erst einmal Kaffee ein und rückte immer noch nicht mit der Sprache heraus. Dann zog sie auf einmal die neueste Ausgabe der RHEINPFALZ hervor, deutete auf eine Nachricht. Dann zeigte sie noch auf zwei Zeichnungen, direkt darunter. Ich traute meinen Augen kaum: Amys Zeichnungen! Mami las laut vor:

„Zu zwei Zwischenfällen kam es gestern auf dem Brezelfest. Zunächst auf dem Festplatz und dann in der Innenstadt. Eine ältere Dame aus Speyer und eine Besucherin aus unserer Partnerstadt Spalding wurden Opfer eines Taschendiebes.

Der Aufmerksamkeit einer jungen Engländerin aus Brighton, die zu Besuch in Speyer weilte, ist es letztlich zu verdanken, dass die Polizei noch am selben Abend zugreifen und den Täter dingfest machen konnte.

Als besonders hilfreich erwiesen sich dabei von der jungen Engländerin angefertigte Zeichnungen, die eine erstaunlich große Ähnlichkeit zum Täter aufwiesen. Dieser hatte zwischenzeitlich versucht, sich mittels eines falschen Bartes zu tarnen. Das Diebesgut konnte sichergestellt und den Opfern des Taschendiebes wieder zurückgegeben werden'.‟

Was Mami sich wohl dabei dachte, den Artikel so schnell auf Deutsch vorzulesen?

Amy und Margaret saßen da und verstanden noch gar nichts, zumal Mami die Zeitung immer noch in der Hand hielt. Ich nahm die RHEINPFALZ an mich und zeigte den beiden erst einmal die Abbildung der Zeichnungen von Amy. Sie erschrak beinahe und konnte es kaum glauben. Auch Margaret war sprachlos. Ich las mir den Artikel nochmals schnell durch. Dann versuchte ich rasch, die wichtigsten Passagen ins Englische zu übertragen. Als ich fertig war, applaudierten alle.

Amy wusste kaum, wie ihr geschah. Mami versprach Margaret gleich die Originalausgabe der Rheinpfalz. So konnten sie den Artikel mit nach Hause nehmen und ihn, bzw. Amys Zeichnungen, Peter und Martin zeigen.

„Ich werde sie nochmal kaufen", sagte Mami zu Margarets Beruhigung, „so können wir den Artikel auch als Erinnerung aufbewahren."

Der Tag hatte wahrlich gut angefangen. Ich war stolz auf meine Freundin, aber auch schon ein wenig traurig, denn ihre Abreise rückte immer näher. Aber noch war ja erst Samstag. Mami wartete nach dem Frühstück mit einer guten Idee auf:

„Ich schlage vor, dass wir den «Schwetzinger Schlossgarten» besichtigen. Das Brezelfest zieht sich ja noch einige

Zeit hin, so dass wir es uns immer noch am Sonntag ansehen können. Was meint ihr?"

„Schlossgarten?" fragte Amy, „Schloss?"

„Schloss ist dasselbe wie 'castle', also: Garden of the castle."

„Eine wunderbare Idee", meinte Margaret. Auch wir waren einstimmig dafür.

Wir fuhren gemütlich mit dem Bus, so dass unsere Gäste in Ruhe die Landschaft betrachten konnten. Mami machte unsere Engländer unterwegs schon ganz neugierig:

„Es ist eine der schönsten Gartenanlagen, die ich kenne."

Sie holte eine kleine Broschüre hervor, auf der die Einteilung des Schlossgartens gut zu sehen war.

„Hier sieht man das Schloss. Direkt gegenüber befindet sich der *Arion-Brunnen*. Zu rechter Hand befinden sich das *Rokoko-Theater* und die *Orangerie*. Dann gibt es noch Tempel, die Minerva und Apollo gewidmet sind, eine Moschee und noch einen Tempel. Und da, seht mal: Ein *Englischer* Garten! Es wird euch gefallen!"

Amy und Margaret vertieften sich in den Plan.

„Römische Wasserleitung, was bedeutet das?"

„Roman water pipes", übersetzte ich, mit Hilfe eines Reiseführers und fügte hinzu: „es gibt auch ein Badehaus."

Kapitel 23: Im Schlossgarten

In Schwetzingen angekommen, übten das Schloss und der Schlossgarten schon von weitem ihre Faszination aus.

„Dieser Garten ist voller Überraschungen", sagte meine Mutter, während Michael zur Digitalkamera griff.

Wir passierten den Torbogen des Schlosses und betraten den Schlossgarten durch eine breite Allee. Mami machte uns auf den Kreis aufmerksam, den die Flügelgebäude des Schlosses und die Laubengänge bildeten. Dann gingen wir weiter bis zum Weiher. Bald schon zog es uns alle zum *Arion-Brunnen*. Ein Blick in ihren Reiseführer und meine Mutter legte los:

„Nach der Legende war Arion ein berühmter Sänger. Während einer seiner Reisen wurde er attackiert. Man drohte, ihn auszurauben und zu ermorden, aber es wurde ihm erlaubt, ein letztes Mal zu singen. Er sang wunderschön. Danach stürzte er sich selbst in den See."

Mami ließ nun eine Kunstpause eintreten. Ein Trick von ihr. Auf diese Art steigerte sie die Spannung. Wir ließen unseren Blick über die herrliche Anlage gleiten, bis sie fortfuhr:

„Aber dann kam ein Delfin, von wunderschönem Gesang angelockt, und rettete ihn."

Mami wollte sich wieder in Schweigen hüllen, doch ich schritt ein:

„Mach schon, weiter."

„Er begleitete ihn sogar bis nach Korinth, wo Arion mit großen Ehren empfangen wurde. Die Diebe jedoch mussten vor Gericht erscheinen. Und der Delfin wurde in ein Sternbild verwandelt."

„Also werden wir eines Nachts zum Himmel aufschauen um zu sehen, ob wir den Delfin entdecken", sprach Margaret nachdenklich. Wir setzten uns eine Weile an den Brunnenrand und betrachteten herrliche Skulpturen. Dann lauschten wir dem Wasser und sahen zu, wie es in die Höhe schoss und wieder herabfiel. Die langen Baumreihen zu beiden Seiten, der weite Raum, die wunderbare Geometrie der ganzen Anlage: Wir konnten uns nicht sattsehen. Mami zeigte uns nun Bilder vom Kurfürsten Carl Theodor.

„Mit ihm begann die Geschichte des Schlossgartens."

Der Kurfürst war in vollem, prächtigem Ornat zu sehen. Ein purpurroter Mantel hing ihm kühn über Arm und Schulter. Margaret gab ein Gutachten ab:

„Ein gutaussehender Mann."

„Und hier", sagte Mami und zeigte dabei auf eine andere Fotografie, „sieht man Schloss und Garten aus der Vogelperspektive."

„Es ist überwältigend", meinte Amy. Nun führte Michael uns zur sogenannten «Hirschgruppe». Wir bewunderten die zwei großen, wasserspeienden Hirsche.

„Sieh dir das an", rief Amy, „sie werden von Hunden angegriffen!"

Wir bestaunten penibel zurechtgestutzte Hecken, bewunderten Rasenflächen, die sich bis in die Ferne vor uns ausdehnten. Zu beiden Seiten waren sie von herrlichen Baumreihen gesäumt.

Überall sah man Leute, die gemächlich durch den Schlossgarten gingen. Eine Mutter lief ihrem Kind hinterher, das mit ihr Verstecken spielen wollte.

„Es gibt hier so viel zu sehen, man muss wirklich mehrmals kommen.“

Das war ein gutes Stichwort. Unsere englischen Freunde mussten *unbedingt* wiederkommen. Oder würden wir erst wieder nach Brighton fahren? Ich zog Amy zur Seite.

„Ich wünschte, du wärst meine Schwester, dann könnten wir viel mehr Zeit zusammen verbringen.“

„Ich hoffe, ihr kommt bald wieder nach England. Vielleicht schon vor Weihnachten.“

Wir schlossen uns wieder den anderen an. Sie wollten nun zum Minerva-Tempel.

Mami konsultierte wieder ihr schlaues Büchlein. Als wir vor dem Tempel standen, sagte sie im Stil eines Fremdenführers:

„Der Tempel wurde 1773 erbaut. Der Baustil erinnert an die Antike.“

Von dort war es nicht weit bis zur Moschee. Sie war in den türkischen Garten eingebettet. Baumeister Nicolas de Pigage entwarf sie 1780. Ich übersetzte dies in Kurzfassung auf Englisch.

Langsam befürchtete ich, dass unsere Besucher vor lauter Erklärungen und Zahlen bald nicht mehr wussten, wo links und rechts war. Die Anlage sah aus wie ein Märchen aus 1001 Nacht.

„Marie, schau mal, die Löwe!"

„*Der* Löwe, es heißt, der Löwe."

Wir bewunderten die Darstellung des Löwen. Im Hintergrund tauchte die Moschee auf. Vor dem Nordportal der Moschee lag ein kleiner Weiher. Das Spiegelbild im Weiher, die vielen verschiedenen Farbtöne ringsum, alles war zauberhaft aufeinander abgestimmt. Über allem lag ein orientalisches Flair. Leider konnten wir nicht auf die Minarette steigen. Wir gingen zum Wandelgang. Licht und Schatten schienen miteinander zu spielen.

Von ganz anderem Reiz war der Merkur-Tempel. Er erhob sich hinter den Bäumen wie eine Ruine und spiegelte sich beinah schaurig im Weiher. Dann gingen wir zu dem großen Basin, das man in Schwetzingen nur den Weiher nennt. Wir waren unschlüssig, welche Plastik uns mehr gefiel. Die vom «Vater Rhein» oder die der «Donau»? Wenn wir schon mit Gästen aus England hier waren, so mussten wir auf jeden Fall den Englischen Garten sehen.

„Jetzt gehen wir zum Englischen Garten", erhob meine Mutter ihre Stimme. Sie las in ihrem Buch nach und setzte hinzu:

„Der Englische Garten liegt von den älteren Teilen der Gartenanlage etwas getrennt. Der Garten ist etwas unsymmetrisch, ein schöner Kontrast zum restlichen Park. Es gibt hier auch viele Pflanzen aus aller Welt."

Sie klappte ihr Buch zu, ich nahm es an mich. Michael nutzte die Gelegenheit, um uns alle nochmals gemeinsam abzulichten. Zum Abschluss besuchten wir noch den «Tempel der Botanik». Amy fiel gleich auf, dass der kleine Tempel kein Fenster aufwies. Im Inneren des Tempels, so las ich, befindet sich die Statue der Demeter, Göttin des Wachstums. Meine Mutter machte wieder den Vorreiter:

„Eines Tages entführte Hades, der Gott der Unterwelt, Persephone, die Tochter der Demeter. Demeter war so wütend, dass sie entschied, das Leben auf der Erde solle aufhören. So beschlossen die Götter, dass Persephone zwei Jahreszeiten bei ihrer Mutter bleiben sollte und eine Jahreszeit mit Hades. Wenn dies passiert, ist Demeter traurig und kümmert sich nicht mehr um die Natur. Deshalb vertrocknet alles und stirbt ab. Aber wenn ihre Tochter wiederkehrt, blüht in der Natur neues Leben auf."

„Eine schöne Geschichte", kommentierten Margaret und Amy und wir machten uns wieder auf den Heimweg.

Kapitel 24: Der große Festzug

Schon war Sonntag, der letzte Tag ihres Besuches. Doch heute wollten wir noch einmal auf das Brezelfest, um den großen Festzug zu sehen.

Als wir uns einige Stunden später der Maximilianstraße näherten, bot sich uns ein herrlicher Anblick. Eine Musikgruppe in historischen Kostümen postierte sich gleich nach dem Altpörtel. Musiker bliesen in ihre Trompeten, schmetterten aus allen Kräften. Die rot-weißen städtischen Fahnen wehten, die Straßen waren überall mit Besuchern gesäumt. Bald schon begann der große Umzug mit unzähligen Wagen. Auch von Balkonen und an Häusern wehte es rot-weiß. Die Stadt war im Ausnahmezustand.

„Der Anblick ist fantastisch", sagte Amy hellauf begeistert. Wir trugen wieder unsere T-Shirts mit dem Brezelbub darauf.

„Gleich beginnt die Parade", rief Mami Margaret zu. Wir kämpften uns die Straße entlang in Richtung Dom. Da sahen wir schon, wie sich eine große Gruppe näherte. Die schwangen große Fahnen und trugen auf hohen Stöcken riesige Brezeln vor sich her. Nun schoss auch Margaret Fotos, was das Zeug hielt. Amy flüsterte mir zu:

„Ich hoffe, der Dieb wurde festgenommen."

Kein Wunder, dass die Geschichte wieder in ihr hochkam. Wir waren ganz in Nähe der Stelle, wo sie ihn erwischte.

„Keine Sorge", beruhigte ich sie, „hier bist du sicher."

Und schon zog die nächste Gruppe ein. Eine ganze Reihe von Frauen war in Kostüme gehüllt. Sie trugen kleine Schirme und prächtige Hüte. Man hätte meinen können, sie wären so vor Jahrhunderten durch den Schwetzinger Schlossgarten gewandelt. Von der nächsten Gruppe waren wir alle ganz besonders angetan. Eine Musikkapelle in den Speyerer Stadtfarben lief ein und sorgte für Stimmung. Die Männer trugen schöne Hüte mit weißem Federbusch. Vor ihnen marschierte eine Gruppe kleiner Jungen, die niedlich herausgeputzt waren, steckten sie doch in rot-weißen Anzügen. Auf der Brust konnte man das Wappen mit dem Speyerer Dom erkennen.

„Die Gruppe, die ihr jetzt seht, kommt aus Bayern", ließ Mami wissen. Man sah in der Tat bald ein bayerisches Wappen. Die Trachten waren blau-weiß. Die Trompetentöne erschallten, sie trommelten im Takt.

„Speyer gehörte einst zu Bayern."

Da traute ich auf einmal meinen Augen nicht. Wer drängelte sich da durch die Mitte und kam direkt neben uns zu stehen? Die Gruppe aus Spalding!

„Oh, was für eine Überraschung", sagte die Dame mit dem schwungvollen Hut und der Kette um den Hals.

„John! Wohin schaust du? *Hier* sind sie: Die mutigen Mädchen, denen wir zu verdanken haben, dass wir unser Geld zurückbekamen!"

Kapitel 25: Belohnung

Ihr Mann drehte sich um, rückte seine Brille zurecht und nahm uns in Augenschein.

„Er ist uns beiden aufgefallen und wir haben ihn zusammen verfolgt", sagte Amy mit Nachdruck und zeigte dabei auf mich.

„Wir möchten euch gerne eine Belohnung geben", brachte die ältere Dame mit Hut hervor.

„Das sagte ich gestern Abend schon zu John, nicht wahr?"

Doch ihr Mann war schon wieder mit seinem Bier beschäftigt.

„Aber wir haben euch aus den Augen verloren. Dürfen wir eure Adresse haben? Wir möchten euch gerne etwas schicken."

Sie sah sich nach ihrem Mann um und fauchte ihn an.

„Hast du einen Kuli, John? Hörst du mir überhaupt zu?!"

Margaret kramte einen Stift, meine Mutter einen Notizblock hervor. Nun hinterließ Amy ihre Adresse in Brighton und ich unsere in Speyer.

„Sehr nett von euch", sprach die Dame mit Hut und lächelte. Margaret reichte ihr den Zettel mit unseren Adressen.

„Danke. Ihr werdet von uns hören."

Zum Abschluss fügte sie noch hinzu: „Sie können auf eure Töchter stolz sein."

Dann drückte sie uns die Hand, zog ihren Mann hinter sich her und verschwand mit der Gruppe aus Spalding.

Der Umzug nahm so schnell kein Ende. Als nächstes lief ein Wagen des «Verkehrsvereins» ein. Nun brach, besonders unter den Kindern, ein Gejohle aus. Auf dem Wagen hatte man alle Hände voll zu tun, frische Brezeln unters Volk zu bringen. Man sah, wie sie zugereicht wurden und hinab flogen. Kinder und Erwachsene griffen nach ihnen, fingen sie auf. Die Festzug-Nummern zogen sich malerisch durch die Stadt. Eine Gruppe von Mädchen führte Tanzkunststücke auf. Eine Attraktion jagte die andere. Später gingen wir ein letztes Mal über den Festplatz. Schon war Dunkelheit über Speyer hereingebrochen. Wir schlenderten an den hell erleuchteten Buden vorbei, betrachteten das Glitzern der Lichter. Dann sahen wir noch einmal hinauf zum Riesenrad, das in der Dunkelheit farbig glänzte und ließen uns von der Stimmung einfangen.

Kapitel 26: Festliches Feuerwerk

Endlich war es so weit: Ein herrliches Feuerwerk brach sich langsam Bahn, erste Raketen stiegen auf. Weitere folgten, bis das Feuerwerk so richtig in Fahrt kam.

„Was für wunderbare Farben", sagte Amy erstaunt. Wir blickten alle in den Himmel. Blau und silbern leuchtete es auf, dann tiefrot und golden. Raketen stiegen auf, verloren sich scheinbar im Himmel, bis sie plötzlich in einer herrlichen Explosion wunderschön aufstrahlten. Von allen Seiten schossen sie nun empor, die Raketen. Sie zündeten hoch in der Luft und hinterließen ihre Spur. Nun knallte und krachte es nur so. Ganz viele Raketen explodierten auf einmal. Ein atemberaubendes Spektakel.

„Ich bin sprachlos", sagte Margaret leise. Das waren wir alle. Was für einen schöneren Abschluss hätten wir uns denken können? Ich seufzte kurz auf: Ja, es war wunderschön. Aber morgen packen sie schon die Koffer...

Kapitel 27: Abschied

Diesmal ließ Mami es sich nicht nehmen, bis zum Flughafen mitzukommen.

„Ich schreibe dir und schicke dir Postkarten."

„Ich auch."

„Wann kommt ihr wieder?"

„Ich weiß nicht. Vielleicht könnt *ihr* ja vor Weihnachten kommen? Dann ist es hier besonders schön. Die ganze Stadt leuchtet festlich. Unser Weihnachtsmarkt ist auch schön."

„Oder ihr drei kommt zu uns und wir machen einen Ausflug nach London!"

Am Flughafen angekommen, blieb uns kaum noch Zeit. Auch Margaret und Mami wurden beinah rührselig. Nur mein Bruder wahrte die Fassung. *Männer...*

„Vielen Dank für die schöne Zeit bei euch! Wir haben uns wie zu Hause gefühlt", sagte Margaret.

„Es war wirklich wunderbar", fiel Amy ein. Sie zog wieder – wie letztes Jahr – die Stirn in die Höhe. So als wolle sie sagen: Was kann man da machen? Nun müssen wir uns verabschieden.

Auch wir dankten für den Besuch. Dann drückten wir uns die Hände und fielen uns um den Hals. Wir sahen, wie Margaret und Amy sich entfernten. Sie schienen immer kleiner zu werden. Dann drehten sie sich nochmals um und winkten ein letztes Mal.

TEIL 3: DER POIROT VON BRIGHTON

Kapitel 1: Der Poirot von Brighton

O h, Marie, ich freue mich so, dich wiederzusehen!"

Amy fiel ihrer Freundin aus Deutschland um den Hals. Peter, Amys Vater, hatte Marie am Busbahnhof von Brighton abgeholt. Nun nahm er ihr einen schweren Koffer und ihre Umhängetasche ab und ging voraus. Die Fahrt dauerte nicht lange, und schon näherten sie sich dem Anwesen, das Marie von ihrem letzten Besuch her schon kannte. «Fayfield House» stand auf einem verzierten Schild, das aus der Wand über dem Hauseingang hervorragte. Darunter war B&B zu lesen, die Abkürzung für Bed & Breakfast (Übernachtung mit Frühstück).

Dieses Jahr jedoch war alles anders. Marie war zum ersten Mal allein in ein anderes Land verreist. Das heißt, nicht ganz allein. Julia, eine Freundin ihrer Mutter, war bis London mitgeflogen. Von dort nahm Marie einen Bus und fragte sich auf Englisch durch. Ihr Bruder lag zu Hause krank im Bett, weshalb ihre Mutter in Deutschland geblieben war.

Unweit der Pension erstrahlte der berühmte «Palace Pier» im Glanz vieler Lichter. Schon senkte sich der Abend herab. Glühlampen leuchteten über dem Weg, der vom Eingang des Piers, an Buden und einer Spielhalle vorbei, weit hinausführte. Wellen schlugen gegen Pfähle, auf denen der «Pier» ruhte. Von der Seepromenade her hörte man Musik. Spaziergänger flanierten die Promenade entlang oder aßen genüsslich eine frische Portion «Fish and Chips». Ein leichter, angenehmer Wind kam auf, die Temperatur war mild. Selbst am Abend brauchte man noch keine Jacke. Peter öffnete die Tür und wuchtete den Koffer voran. Es dauerte nicht lange und Margaret, Amys Mutter, eilte herbei. Sie legte ihre Schürze ab und drückte Marie fest an sich.

„Ich freue mich, dich wieder in unserem Fayfield House willkommen zu heißen. Fühle dich ganz wie zuhause!"

Amy zeigte Marie ihr Zimmer. Dann lief sie schnell wieder nach unten. Sie musste beim Auftragen des Abendessens helfen.

Amy lernte in der Schule Deutsch. In letzter Zeit machte sie große Fortschritte. So konnten sie nach Belieben die Sprache wechseln. Margaret hatte Marie eine Mansarde im oberen Stockwerk zurechtgemacht. Das Zimmer, mit einer Holzdecke und Bildern von Edward Evans, einem englischen Maler, ausgestattet, wirkte gemütlich.

WELCOME MARIE! las sie auf einem großen, bunt bemalten Schild. Marie war gerührt. Sie sah sich in Ruhe um, verstaute ihre Kleidung im Schrank und packte ihren Koffer aus, bis das Gastgeschenk zum Vorschein kam: Ein Gemälde, das den Dom zu Speyer von der Rheinseite her darstellte, gemalt von einem Künstler ihrer Stadt. Die mächtige Kathedrale ragte im Licht der Abendsonne auf. Deren Strahlen spiegelten sich in den Wellen des nahen Flusses. Ein Schiff sah aus, als tuckere es gemächlich vorbei. Marie trug das Gemälde nach unten. Margaret, Amy und Peter waren davon begeistert.

„Oh, Marie, welch eine Überraschung! Heute Abend müssen wir deine Mami anrufen und uns bedanken!"

Während Margaret im Speiseraum das Abendessen für die Gäste auftrug, aßen Amy und Marie zusammen in der gemütlichen Küche zu Abend. Eine Reihe von Gästen war gestern abgereist, neue Gäste kündigten sich an. Ein ständiges Kommen und Gehen.

Amy trug ihr blondes Haar länger als letztes Jahr und zu einem Zopf zusammengebunden. Nach dem Essen wurde Marie bald müde und zog sich früh in ihr Zimmer zurück. Die Reise war doch anstrengend gewesen. Jetzt bin ich wieder in Brighton, dachte sie. Sie konnte es noch nicht ganz glauben. Sie erinnerte sich lebhaft an ihren ersten Besuch und an den Gegenbesuch in Speyer. Durch das offene Fenster fiel Mondlicht. Marie streckte sich behaglich und zufrieden aus, zog die leichte, geblümte Decke bis unters Kinn. Sie hörte noch, wie jemand im Gang Englisch sprach. Dann dauerte es nicht mehr lange, und sie fiel in tiefen Schlaf…

Kapitel 2: Am nächsten Morgen...

Am nächsten Tag sah alles schon ganz anders aus. Die Anstrengung der Reise war von Marie abgefallen und das Frühstück wollte kaum ein Ende nehmen: Toast und Käse, Marmelade und Butter, Saft und Kaffee, Eier, Pilze, Würstchen und Tomaten...Marie löffelte an einer neuen Portion Bohnen. Sie hielt sich den Bauch und gestikulierte, so als würde sie gleich platzen. Amy lachte hell auf. Da betrat ein Herr den Raum, der Marie unvergesslich geblieben war: Martin, Margarets Bruder. Marie rief sich ins Gedächtnis, was sie von ihm bisher wusste:

Martin, der früher als Buchhalter arbeitete, war immer mehr einer Passion für die Bücher von Agatha Christie verfallen, in denen Hercule Poirot, der weltberühmte Detektiv, auftritt und die schwierigsten Fälle löst. Bald besaß er neben allen Büchern auch alle Verfilmungen auf DVD, eine große Poirot-Box. Die Hauptrolle spielte David Suchet. Seit

Jahren, so erzählte ihr Amy damals, sah Martin jeden Tag und immer um dieselbe Uhrzeit einen der Filme. Wenn er mit der Reihe durch war, begann er von vorn.

Mit der Zeit glich er sich dem berühmten Vorbild auch äußerlich immer mehr an. Er ließ sich eigens einen Schnurrbart wachsen und stutzte ihn entsprechend zurecht. Zudem war er genau wie Poirot gekleidet. Seine Gangart und seine Sprechweise mit dem eigentümlichen Akzent, die Mimik seines großen Vorbildes studierte er immer wieder ein. Längst war sie nahezu perfekt. Auch seine Figur glich der des Poirot-Darstellers im Film. Er verdrehte auch öfter die richtige Reihenfolge der Wörter, genau wie Poirot.

Was anfangs noch wie ein harmloser Spleen aussah, der vorübergehen würde, entwickelte sich zur Passion. Er trug einen Spazierstock, der mit dem seines Helden identisch war. Wie lange war er in Läden in Brighton und London auf die Suche gegangen, bis sich das passende Exemplar fand. Und was noch besorgniserregender war: Mittlerweile hielt er sich für *Poirot* in Person. Manchmal rief er sogar nach «Captain Hastings» – dem unentbehrlichen Mitarbeiter Poirots – oder bestellte, wie der Detektiv in den Filmen, eine imaginäre «Miss Lemon» zum Diktat.

Marie erinnerte sich nun auch an einen Zeitungsartikel, den Amy ihr vor längerer Zeit zuschickte. Darin war Martin abgebildet, da er einem Betrüger auf die Schliche gekommen war. Das Foto trug die Überschrift: «Der Poirot von Brighton erneut erfolgreich». Margaret und Peter war die ganze Geschichte eher peinlich. Doch was sollten sie tun? Martin hatte ja außer seiner Schwester Margaret keine Angehörigen mehr. So bewohnte er eine Mansarde im oberen Stockwerk des Hauses, in dem auch die Pension untergebracht war. Martin gehörte zur Familie. Zuweilen sorgte er freilich für Aufsehen. Dann wieder, so erzählte ihr Amy, gab es Phasen, in denen er sich still zurückzog. Manche Gäste der Pension schienen eigens seinetwegen zu kommen. Wenn aber mehr Gäste kamen, so musste ihnen um ihre Pension zumindest vorerst nicht bange sein. So waren die Gefühle von Margaret und Peter durchaus gemischt.

Nun also stand er plötzlich vor ihnen. Marie strahlte ihn freundlich an und gab ihm die Hand. Sie wollte gerade aufstehen und ihn begrüßen, doch Martin gab ihr ein Zeichen.

„No, no, no, no, no! Ich möchte dein Frühstück nicht stören, liebes Fräulein. Willkommen, Marie, willkommen in Fayfield House! Ich wünsche dir einen Aufenthalt, einen höchst angenehmen!"

Martin schwang seinen Stock, zog den Hut und lächelte: Ein langgezogenes Lächeln zog sich über das ganze Gesicht. Genauso, wie Marie es einst in einem Poirot-Film mit David Souchet sah. Die Imitation war wirklich verblüffend.

„Danke, Mar, Mister Poirot!"

Amy hatte sie unter dem Tisch gerade noch rechtzeitig gestoßen. Wenn jemand Martin mit seinem Vornamen ansprach, wurde er verstimmt oder sogar höchst ärgerlich. Das wollte Amy unbedingt vermeiden.

„Nicht Mister! Ich bin Belgier! Ein belgischer Detektiv, ein höchst berühmter! Aber du kannst einfach Poirot sagen. Das wird genügen."

„Müssen Sie das Haus verlassen", fragte Amy.

„Ja, wegen einer Angelegenheit, einer höchst dringlichen. Du wirst verstehen, dass ich keine Details verrate."

Er zog den Hut, verneigte sich ein wenig und trippelte dem Ausgang zu.

Amy sah Marie vielsagend an, zog die Schultern in die Höhe und verdrehte die Augen.

„Aber er sieht nicht unglücklich aus", sagte Marie leise.

„Ja, du hast recht. Er lebt in seiner eigenen Welt."

Wenn Amy Deutsch sprach, klang es entzückend. Ihr Akzent war reizend. Nur manchmal fehlten ihr die Wörter. Wenn ich so gut Englisch könnte, wie Amy Deutsch kann, dachte Marie. Nach dem Frühstück fragte ihre Freundin:

„Magst du an die — wie sagt man? — Strand gehen? Mami ist einkaufen. Peter hat im Haus zu tun. Einer muss ja immer an die Rezeption bleiben."

„Oh, ja! Ich ziehe nur schnell meine Badesachen an. Ich komme gleich."

Kapitel 3: Möwen stiegen auf...

Es war ein strahlend schöner Tag. Möwen stiegen auf, kreisten durch die Luft und stießen Schreie aus. Familien waren unterwegs und genossen die Sonne. Kinder schleckten Eis. In der Ferne fuhr Volks Electrical Railway vorbei.

Der Palace Pier war längst wieder zum Leben erwacht. Besucher warfen mit Bällen auf Dosen oder zogen Lose, Kinder knabberten Popcorn oder fuhren im Karussell. Ein Händler verkaufte mit Luft gefüllte Figuren und Tiere. Er hielt davon eine ganze Menge an Schnüren in der Hand: Fische und Seepferdchen, Delfine und kleine Elefanten. Kinder zeigten in die Höhe, jauchzten und animierten Eltern zum Kauf. Das besondere Flair von Brighton lag überall in der Luft.

Amy und Marie machten sich zum Sandstrand auf. Aus einiger Entfernung sahen sie, wie einige Leute sich schon ins Wasser wagten. Andere dösten auf einem Badetuch liegend träge vor sich hin oder lasen eine englische Zeitung. «The Sunday Times» und «The Sun», konnte Marie entziffern.

„Magst du am Strand entlang gehen?"

„Ja, gerne", sagte Marie. „Das tut gut nach dem Essen...Zuhause essen wir höchstens beim Mittagessen so viel."'

„Wir können zum West Pier gehen."

„Oh, ja."

Schon von Ferne sah man den Pier. Es sah aus, als sei er aus dem Meer aufgetaucht.

„Der West Pier sieht etwas verlassen aus, wie eine Ruine. Einst brach dort ein Brand aus. Sein Anblick gefällt mir besonders bei Nebel. Dann sieht er geheimnisvoll und etwas unheimlich aus. Auf Englisch sagt man für neblig: Foggy."

„Foggy? Ein lustiges Wort."

Je weiter sie den dunklen Sandstrand entlanggingen, desto faszinierender tauchte der West Pier über dem Wasser auf. Wie zwei verlassene, große Geisterhäuser erhob er sich über vielen Pfählen. Wellen rollten schäumend heran. Möwen kreischten in der Luft, stiegen auf und stießen hernieder. Bei Nebel muss das richtig gespenstig aussehen, dachte Marie. Vielleicht würde alles einstürzen, wenn man den Pier betritt und wir würden alle in den Fluten versinken...Die Vorstellung war schaurig. Marie schüttelte sich. Unterwegs machten sie viele Fotos vom Pier. Sie fotografierten sich gegenseitig und baten einen älteren Engländer, sie zusammen zu fotografieren. Dann gingen sie langsam wieder zurück.

Britische Fahnen flatterten über den Türmen am Eingang zum Palace Pier. Amy und Marie gingen am Pavillon vorbei, bis sie eine ganze Reihe ausgeklappter Liegestühle entdeckten. Sie waren mit blau-weiß gestreiftem Leinentuch bespannt und luden zum Ausruhen ein. Der Himmel erstrahlte in denselben Farben. Wellen rollten langsam heran, brachen sich, schäumten auf. Und schon wieder rollten neue Wellen heran. Ein herrlicher Anblick! dachte Marie. *So etwas* gibt es in Speyer nicht. Zwei Liegestühle waren noch frei, Marie und Amy machten es sich gemütlich. Auf einmal zeigte Amy nach links.

„Sieh mal, das ist Frau Pritchard. Die wohnt zwei Hauser weiter.“

Sie standen auf und näherten sich der alten Dame. Als diese Amy sah, war sie erfreut. Doch schien sich gleich wieder ein Schatten über ihre Züge zu legen.

„Guten Morgen, Frau Pritchard. Dies ist Marie, meine Freundin aus Deutschland.“

„Freut mich, Marie.“

Es war offensichtlich, dass Frau Pritchard in Gedanken war. Sie hatte sich eine leichte Decke über die Beine gelegt. In der Hand hielt sie einen Kuli und ein Heft mit Kreuzworträtseln. Aber sie hatte überhaupt nichts eingetragen.

„Geht es Ihnen gut, Frau Pritchard?“, fragte Amy. Frau Pritchard wirkte betrübt und missmutig.

„Nein, mir geht es nicht gut, meine Liebe.“

„Was ist passiert?“

Amy sah sie besorgt an. Was machte Frau Pritchard hier alleine am Pier, wenn es ihr nicht gut ging?

„Mein kostbarer Schmuck wurde gestohlen. Er gehörte unserer Familie seit vielen Generationen. Er bedeutete mir so viel, wegen der damit verbundenen Erinnerungen. Ich habe keine Erklärung, wie er mir gestohlen werden konnte."

„Oh, das tut uns leid. Haben Sie die Polizei verständigt?"

„Ja, sie kamen heute Morgen. Es war anstrengend für mich. Zu viele Fragen. Sie fragten mich, ob ich den Schmuck vielleicht an einen anderen Ort gelegt hatte. Sie denken bestimmt, dass ich eine verwirrte, alte Frau mit schlechtem Gedächtnis sei."

„Jeder kann etwas vergessen oder verlegen."

„Ja, aber das habe ich nicht. Ich habe sie *nie* aus meinem Schmuckkästchen genommen."

„Haben sie nach Fingerspuren gesucht?"

„Ja, aber sie haben nichts gefunden."

„Wer kann den Schmuck gestohlen haben? Haben Sie viel Besuch?"

„Nur einige Angehörige."

„Wir hoffen, dass der Fall sich aufklärt und Sie Ihren kostbaren Schmuck zurückbekommen."

„Ihr seid sehr lieb!", sagte Frau Pritchard und kniff die Lippen zusammen.

Kapitel 4: Seltsam, nicht wahr?

Amy und Marie verabschiedeten sich. Nachdenklich gingen sie zum Ausgang. Sie waren jetzt nicht mehr in der Stimmung, es sich in einer Liege bequem zu machen.

„Das ist seltsam, nicht wahr?", warf Marie ein.

„Was meinst du?"

„Sie hatte nur Besuch von Verwandten. Den Schmuck hat sie nie aus der Schatulle genommen. Und dann verschwindet er."

„Ich glaube nicht, dass ein Verwandter sie besucht, um ihren Schmuck mitzunehmen."

„Ich auch nicht. Aber"

„Aber?"

„Vielleicht hat sie den Schmuck anprobiert: Sie stand vor dem Spiegel, war in Gedanken. Später konnte sie sich nicht mehr erinnern."

„Das könnte sein…Aber dann hätte die Polizei den Schmuck bestimmt gefunden."

„Falls sie das ganze Haus durchsucht haben."

„Meinst du, wir sollten Frau Pritchard fragen? Vielleicht könnten wir ihr anbieten, dass wir überall im Haus nach dem Schmuck suchen?"

Die beiden sahen sich an. Dann liefen sie zurück zu ihr.

„Oh, da seid ihr ja wieder!"

„Frau Pritchard, hat die Polizei das ganze Haus durchsucht?"

„Oh, ja! Ich sehe sehr schlecht. Also dachten sie, der Schmuck könnte irgendwo herumliegen. *Ich* habe mich vielleicht aufgeregt! Ich mag es nicht, wenn andere Leute in meinen Wäscheschränken wühlen und überall herum suchen. Ich war froh, als sie wieder weg waren."

„Falls wir eine gute Idee haben, kommen wir Sie besuchen, Frau Pritchard."

Sie streckte eine Hand aus und verabschiedete sich gerührt.

Eigentlich hatten Amy und Marie vorgehabt, ein Café in der Innenstadt zu besuchen. Doch nun gab es nur noch *ein Thema*: Den Diebstahl des kostbaren Familienschmucks von Frau Pritchard.

Sie änderten ihre Pläne und entschieden sich für einen kleinen Ausflug nach London. So konnten sie sich unterwegs im Zug erst einmal den Kopf zerbrechen, wer oder was hinter dem Diebstahl stecken könnte. Marie war schon ganz aufgeregt. Zum ersten Mal in London!

„Die Fahrt dauert gar nicht so lange", sagte Amy und fügte hinzu:

„Wir werden nicht sehr viel Zeit haben. Aber wir können bestimmt etwas besichtigen. Ich kenne London recht gut. Eine meiner Tanten lebte dort. Wir haben sie oft besucht. Ich rufe Mami unterwegs an, dass wir nicht zum Mittagessen kommen."

Kapitel 5: Im Zug nach London...

Kaum saßen sie im Zug, kamen sie sogleich wieder auf den Fall zu sprechen. Im Haus von Frau Pritchard war der Schmuck bestimmt nicht mehr. Sonst hätten ihn Frau Pritchard oder die Polizei irgendwann entdeckt. Ein habgieriger Verwandter? Marie und Amy verwarfen die Vermutung. Verwandte kamen selten allein und wenn, dann kamen sie bestimmt nicht, um Schmuck zu stehlen. Wenn sie auf Wertgegenstände spekulierten, wären sie besonders nett. So könnten sie hoffen, dass das Testament gut ausfällt.

Wie aber sollten dann die Juwelen verschwunden sein? Gab es ein Foto von dem Schmuck? Hatte Frau Pritchard sich am Ende alles eingebildet? Hatte es den Schmuck vielleicht nie gegeben? Amy widersprach:

„Ich kenne Frau Pritchard. Manchmal ist sie etwas verwirrt. Aber wenn sie sagt, dass sie ihren Schmuck nicht mehr findet, dann gab es ihn."

In London angekommen, führte Amy ihre Freundin zu «Madame Tussauds».

Marie war von dem Wachsfigurenkabinett begeistert.

„Die Wachsfiguren stellen Berühmtheiten dar."

Sie bewunderte die Figuren von Albert Einstein, Charles Dickens und Pablo Picasso, von Gandhi und Tony Blair, von der Queen und Prince Charles. Die Ähnlichkeit mit den Originalen war unglaublich. Eine Figur war erstaunlicher als die andere. Auf einmal musste Marie an Martin denken. Vielleicht würde er eines Tages auch noch bei Madame Tussauds als Wachsfigur auftauchen. Als zweiter Poirot...

Nach der Besichtigung blieb nicht mehr viel Zeit. Amy rief schnell zu Hause an. Bei einem Chinese-Take-Away aßen sie Glasnudeln, Soja und gebratenes Gemüse. Marie sah sich um. Neben der Anrichte, wo ein Chinese die Speisen zubereitete, standen Tische. Alle Stühle waren besetzt. Marie hörte chinesische Laute. Alle aßen mit Stäbchen. Die Gerichte waren zweisprachig angeschrieben: Englisch und Chinesisch. Nun hörte sie, wie ein anderer Chinese am Telefon sprach. Was für seltsame Laute! Der Koch hielt eine Pfanne in der Hand, goss Öl hinein und schwenkte sie hin und her. Es flammte auf und perle und zischte, dass es eine Augenweide war. Überdies roch es köstlich. Man konnte zusehen, wie er rasend schnell Gemüse klein schnitt, Gewürze rieb und hinzugab. Er war unglaublich geschickt.

Nach dem Essen mussten sie schon wieder zum Bahnhof eilen. Während der Zugfahrt ließen sie die Landschaft an sich vorüberziehen, sahen aus dem Fenster und hingen ihren Gedanken nach. Arme Frau Pritchard, dachte Marie. Sie sah sie wieder vor sich, wie sie am Palace Pier aus dem Liegestuhl aufsah. Daneben das leere Kreuzworträtselheft.

Bestimmt ein Schock für die arme Frau. An ihrem Schmuck, so sagte sie, hängen so viele Erinnerungen. Bestimmt auch an Leute, die nicht mehr leben. Vielleicht hat sie Angst, dass sie mit dem Schmuck auch die Erinnerungen verliert…

Kapitel 6: Und was sehe ich auf der Lokalseite?

Am nächsten Morgen saßen Amy und Marie beim Frühstück. Margaret servierte ihnen gerade eine Portion Eier mit Bohnen. Da betrat plötzlich Martin den Raum.

„Guten Morgen!", rief er voller Energie. Er zog seinen Hut ab und zeigte mit seinem Spazierstock auf eine Zeitung.

„Ich habe sie schon gelesen. Und was sehe ich auf der Lokalseite?"

Amy und Marie sahen sich verwundert an. Was meinte er? Martin machte es spannend. Er ließ einige Sekunden verstreichen. Dann öffnete er die Zeitung und las laut vor:

„Schmuck verschwunden: Eine ältere Frau, die unweit des Palace Pier lebt, meldete gestern bei der Polizei einen Diebstahl. Chefinspektor Walker sagte unserem Redakteur, dass man die Wohnung der älteren Dame sehr sorgfältig durchsucht habe. Der kostbare Schmuck wurde jedoch nirgends entdeckt.

Er gehörte der Familie seit vielen Generationen, die bis in die Zeit der napoleonischen Kriege zurückreichen. Der vermeintliche oder tatsächliche Diebstahl erscheint mysteriös. Nach eigener Aussage empfing die ältere Dame kaum Besuch. Sicherheitsexperten stellten fest, dass sowohl die Türen als auch die Fenster gut gesichert und verschlossen waren. Die Polizei konnte keine verdächtigen Spuren, keine Fingerabdrücke finden."

Marie überlegte: Die Polizei hat also alles durchsucht und nichts gefunden. Fenster und Türen waren gut verschlossen. Die Freundinnen sahen sich an.

Die Frau, die bestohlen worden war, das konnte nur Frau Pritchard sein!

„Wir kennen diese Frau. Es ist Frau Pritchard! Wir trafen sie am Pier. Sie erzählte uns alles."

Martin grübelte: „Frau Pritchard, lebt sie nicht in unserer Straße?"

Martin zwirbelte seinen frisch ge-
wachsten Schnurrbart. Er schien ange-
strengt nachzudenken. Dann setzte er
wortlos seinen Hut auf und verschränkte
einen Arm hinter seinem Rücken. Daraufhin neigte er leicht seinen Kopf und
verließ die Küche. Kurze Zeit danach
hörte man, wie die Eingangstür ins
Schloss fiel. Was hatte Martin vor?

Die Aufregung um den Schmuck von
Frau Pritchard legte sich wieder ein wenig. Während des Mittagessens erzählten
Marie und Amy Margaret von ihrem Ausflug nach London und von Madame
Tussauds Wachsfigurenkabinett. Zwi-
schendurch huschte Margaret davon.
Neue Gäste trafen ein und wollten be-
dient werden. Als sie zurückkam, flüsterte sie:

„Wir haben jetzt einen besonderen
Gast. Ein «Dichter»...Er will nicht gestört
werden."

Sie zwinkerte ihnen vielsagend zu.

Kapitel 7: Das ist Frau Penrose!

Amy und Marie zog es bei dem schönen Wetter wieder zum Strand.

Sie machten es sich auf einer großen Decke gemütlich, spielten Frisbee, lasen in einem Buch und wagten sich ins Wasser. Sie blieben aber nah am Ufer und schwammen immer in Sichtweite. Einige Stunden später traten sie mit ihren Badetaschen den Heimweg an. Nach dem Abendessen fragte Marie.

„Meinst du, wir können noch ein paar Postkarten kaufen gehen? Ich würde gerne eine Karte nach Hause schicken."

„Ja, sicher. Mami, wir sind in ein paar Minuten zurück."

Sie verließen das Haus, gingen eine leichte Anhöhe hoch und machten sich zu einer der verwinkelten, schönen Gassen auf.

„Hier gleich an der Ecke ist ein Zeitschriftenhändler. Da können wir bestimmt Postkarten und Briefmarken kaufen."

Sie betraten den Laden. Eine Klingel kündigte neue Kundschaft an. Sie stellten sich gerade in die Reihe, als sie hörten, wie eine grauhaarige Dame aufgeregt mit dem Ladenbesitzer sprach. Dieser trug eine leichte, beigefarbene Weste und eine dicke Hornbrille. Er hörte gut zu, nickte immer wieder und setzte eine verständnisvolle Miene auf. Sicher wollte er Mitgefühl zeigen. Aber Marie schien es, dass er langsam nervös wurde. Schließlich standen viele Leute in der Schlange.

„Es ist mir wirklich unerklärlich! Ich wollte etwas Geld aus der Schublade holen. Wertsachen bewahre ich *immer* in dieser Schublade auf! Als ich sie öffnete, sah ich, dass alles verschwunden war. Was für ein Schock! Ich rief sofort die Polizei an. Sie kommen in einer halben Stunde. Ich muss jetzt nach Hause gehen."

Der Zeitschriftenhändler versuchte, sie zu beruhigen. Doch sie schien gar nicht zuzuhören. Amy flüsterte Marie zu.

„Das ist Frau Penrose! Sie wohnt am Ende unserer Straße. Sie hatten früher ein Geschäft, in dem sie Schilder verkauften. Da haben wir damals das Schild für unsere Pension bestellt. Aber seitdem ihr Mann verstorben ist..."

Marie flüsterte zurück:

„Sie erzählt vor allen Leuten, wo sie ihre Wertsachen aufbewahrt. Wie kann sie nur? Wie leichtsinnig!"

Frau Penrose war so aufgeregt, dass sie Amy gar nicht bemerkte. Sie klemmte sich vielmehr eine Zeitung unter den Arm und verließ zerstreut den Laden. Amy und Marie suchten schnell ein paar Postkarten aus, zahlten und folgten Frau Penrose unauffällig.

„Das ist seltsam, nicht wahr? Zwei ältere Frauen melden Diebstähle. Beide leben in diesem Viertel und sind Witwen."

„Ja, in der Tat", stimmte Marie zu.

Sie sahen, wie Frau Penrose eine Gartentür öffnete. Ihr Vorgarten war bestens gepflegt. Rosen in verschiedenen Farben sahen prächtig aus. Frau Penrose schloss die Gartentür hinter sich. Dann stieg sie mühsam Treppenstufen hinauf, die zu ihrer Wohnung führten. Amy und

Marie behielten den Vorfall erst einmal für sich. Sie verrieten auch Margaret nichts, als sie abends in dem kleinen Garten hinter dem Fayfield House zusammensaßen.

Kapitel 8: Noch ein Diebstahl!

Am nächsten Morgen erschien Marie etwas zu spät zum Frühstück und rieb sich die Augen. Als sie die Küche betrat, wäre sie fast mit Martin zusammengestoßen.

Martin trug seinen Hut in der einen Hand. Er streifte sich in aller Ruhe elegant aussehende Handschuhe von den Fingern. Dann zog er die neueste Zeitung aus seiner Manteltasche hervor. Genauso, wie man ein Beweisstück präsentiert.

„Als die jungen Damen noch geschlafen haben, war ich schon bei meinem Zeitschriftenhändler und habe meine Zeitung gekauft."

Er sah sie bedeutungsvoll an.

„Und?"

Amy schob sich ein Stück angedünsteter Tomate samt Toast in den Mund.

„Mir fiel sofort eine Überschrift auf: Noch ein Diebstahl!"

Martin las vor:

„Eine ältere Frau meldete gestern bei der Polizei einen Diebstahl. Als sie eine Schublade öffnete, in der sie all ihre Wertsachen aufzubewahren pflegte, war alles verschwunden. Wie schon im ersten Fall, über den wir kürzlich berichtet haben, konnte die Polizei keinerlei Spuren finden, die weiterführen. Die ältere Frau sagte unserem Reporter: „Niemand brach ein und die meiste Zeit bin ich alleine, ich bekomme selten Besuch.‟

Martin setzte eine Miene auf, die Marie schon kannte. So sah er aus, wenn er scharfsinnig nachdachte. Marie goss etwas «Yorkshire Tea» nach. Sie nippte am Tee. Er war noch zu warm, aber das Aroma roch köstlich. Sie wollte gerade etwas sagen, als Martin ihr zuvorkam.

„Wenn ihr mich bitte entschuldigt. Ich habe nun einen wichtigen Termin!‟

Er setzte seinen Hut auf und verließ das Haus. Amy und Marie leerten ihre Teller und dachten laut nach.

„Der Artikel spricht von Frau Penrose! Seltsam. Zwei Diebstähle in kurzer Zeit. Jedesmal bei älteren Frauen, die kaum Besuch bekommen. Beide wohnen in der Nähe und sind verwitwet."

„Was hat das zu bedeuten? Gibt es da einen Zusammenhang?", fragte Marie.

Amy zog die Stirn in Falten und trank ihren Kaffee zu Ende.

„Ich weiß nicht. Komm, lass uns rausgehen."

Sie grüßten Peter, der an der Rezeption mit einem Turban tragenden Sikh verhandelte. Peter winkte ihnen nach. Sie gingen ins Freie. Amy sagte:

„Was meinst du, sollen wir erst einmal ins Sea Life Centre gehen?"

„Eine gute Idee."

Kapitel 9: Einen Einbrecher hätte ich gehört...

Sie gingen die Straße nach oben. Marie bewunderte helle Häuser, die auch vom Pier aus einen so schönen Anblick boten. Sie waren gerade einige Meter gelaufen, als Amy plötzlich anhielt.

„Sieh mal, die Frau, die da in ihrem Vorgarten Rosen abschneidet."

„Ist das nicht Frau Pritchard?"

„Genau. Komm, wir begrüßen sie."

„Guten Morgen, Frau Pritchard!", riefen die beiden wie aus einer Kehle. Die ältere Dame legte ihre Harke auf die Seite. Dann drehte sie sich langsam um, sah nach rechts und dann nach links. Hatte da nicht eben jemand gerufen? Sie rückte ihre Brille zurecht. Endlich gerieten die Mädchen in ihr Blickfeld.

„Ah, ihr seid es! Guten Morgen."

Ihr Gesicht schien zu dem Wunsch nach einem *guten Morgen* nicht recht zu passen. Sie rieb sich Erde von der Hand und näherte sich dem Gartentor.

„Wie geht es Ihnen?"

Nun sahen sie, dass sie den Tränen nahe war.

„Ich bin traurig, tief traurig. Die Polizei sagte, dass sie keinen Anhaltspunkt haben. Ich bin mir noch nicht einmal sicher, ob sie mir glauben."

Amy und Marie überlegten, was sie sagen sollten. Frau Pritchard kam ihnen zuvor:

„Ich habe vorhin Früchtekuchen gekauft. Möchtet ihr ein Stück probieren und kurz mit reinkommen?"

Marie hielt sich in Gedanken den Bauch, hatten sie doch ausgiebig gefrühstückt...Doch Frau Pritchard tat ihnen leid. Sie war ja alleinstehend. Also folgten sie ihr nach und betraten ihre Wohnung.

Der Gang war geschmackvoll eingerichtet. Kleine Bilder hingen an der Wand, sie stellten englische Landschaften dar. Alle waren eingerahmt. Darunter stand eine antike Kommode. Frau Pritchard führte ihre Besucher ins Wohnzimmer und bat sie an den Tisch. In einem Sessel in der Ecke saß ein schwarzer Kater auf einem Kissen. Er wirkte gelangweilt.

Die Obsttörtchen waren köstlich. Frau Pritchard konnte viele Sorten anbieten: Mit Erdbeeren, Mandarinen, Birnen und Kirschen. Während ihr Besuch es sich schmecken ließ, beschrieb sie den Schmuck, den sie vermisste. Sie erzählte auch von ihrer Familie. An einem Erbstück hingen ja so viele Erinnerungen. Amy fürchtete, dass Frau Pritchard wieder Tränen kommen würden. Deshalb fragte sie:

„Sie sagten, dass Sie kaum Besuch bekamen, nur von ein paar Verwandten. Niemand brach ein, und die Polizei fand keine Spuren. Das ist merkwürdig."

Frau Pritchard sah sie bestürzt an.

„Glaubt ihr mir also auch nicht? Meint ihr, ich habe mir alles eingebildet?"

„Nein, nein", beeilte sich Amy. „Ich frage mich nur: Von Ihren Verwandten abgesehen, kam niemand ins Haus. Aber Sie vermissen Ihren Schmuck. Diebe hinterlassen normalerweise Spuren. Irgendetwas stimmt hier nicht."

„Ich bin ja fast immer da. Einen Einbrecher hätte ich gehört. Von Nichten und Neffen abgesehen, war niemand hier. Noch nicht einmal ein Handwerker."

Frau Pritchard besann sich und runzelte auf einmal die Stirn.

„Nun, bis auf den Fahrer vom «Moon of Bangalore»", fügte sie mit einem Anflug von Lachen hinzu. Doch das Lachen wollte nicht recht gelingen. Es wirkte eher gequält.

„Moon of Bangalore?"

„Ja, Indische Küche und Pizzaservice, etwas dieser Art. Ich sehe nicht besonders gut und einmal war ich zu müde, selbst zu kochen. Da rief ich diesen Service an. Na, ja, wenn man alt wird."

Amy und Marie sahen sich nachdenklich an. Moon of Bangalore? Davon habe ich noch nie gehört, dachte Amy, aber es machen ja ständig neue Läden auf. Eine Firma verschwindet vom Markt, andere fangen neu an.

„Wird ein neuer Service sein."

„Haben Sie noch ein Prospekt?"

„Ich fürchte nein. Warum?"

„Ich hätte gerne die Adresse. Man weiß nie", sagte Amy.

„Es schmeckte lecker. Etwas scharf allerdings. Nun, ich nehme an, sie sind noch nicht lange im Geschäft."

„Sie meinen, sie sind noch nicht lange in dem Bereich tätig. Warum?"

„Nun, wie soll ich sagen? Also, ja, jetzt fällt es mir wieder ein: Er wirkte etwas…, etwas unerfahren, ja, das ist das richtige Wort: Das fiel mir gleich auf. Na, ja, wurde vielleicht gerade erst eingearbeitet. Er hätte schon Wechselgeld dabeihaben sollen."

Die Freundinnen sahen sich an. *Wie* bitte? Er hatte kein Wechselgeld dabei?

„Er konnte nicht rausgeben", sagte Frau Pritchard beiläufig, „also bin ich kurz nach oben gegangen, habe ein paar passende Pfundnoten und Münzen gesucht. Es war ihm sichtbar peinlich, dem armen Fahrer. Ein junger Mann, soweit ich sah. Nun, er muss noch viel lernen.

Aber so ist das eben, ich war schließlich auch mal jung."

Nun hatte es Amy eilig:

„Vielen Dank für den leckeren Fruchtkuchen, Frau Pritchard. Wir müssen jetzt leider gehen."

Ihre Gastgeberin sah überrascht auf. *Die* hatten es aber plötzlich eilig.

„Vielen Dank für euren Besuch!"

Kapitel 10: Moon of Bangalore?

Als sie wieder draußen waren, platzte Amy los.

„Hast Du *das* gehört?!?"

„Ja. Unglaublich! Sie geht nach oben und lässt ihn allein in der Wohnung. Natürlich ist das noch lange kein Beweis, aber."

„Meinst du, wir können mit dem Sea Life Centre bis morgen warten?"

„Sicher! Was hast du vor?"

„Wir müssen mit Frau Penrose sprechen!"

Marie dachte nach.

„Und wir müssen diese Leute vom Moon of Bangalore ausfindig machen!"

Amy führte Marie zum Haus von Frau Penrose. Von ihr war keine Spur zu sehen.

„Was nun?" fragte Marie.

„Sie geht immer um diese Uhrzeit ihre Zeitung kaufen. Pünktlich wie ein Uhrwerk. Lass uns auf sie warten."

Während sie nach Frau Penrose Ausschau hielten, erzählte Amy ihrer Freundin von Brighton und seiner Geschichte und manche Anekdote, die in keinem Reiseführer zu finden ist. Marie hörte interessiert zu. Amy schilderte, wie Brighton früher aussah, als es noch kein elektrisches Licht gab. Auf einmal hörten sie, wie sich eine Tür öffnete. Tatsächlich: Die Uhr zeigte gerade die volle Stunde an. Frau Penrose erschien mit einer Einkaufstasche im Türrahmen. Amy und Marie näherten sich und riefen ihr zu:

„Guten Morgen, Frau Penrose!"

„Guten Morgen, Amy und"

„Dies ist Marie, meine beste Freundin. Sie kommt aus Deutschland."

„Guten Morgen, Marie", sagte Frau Penrose etwas zerstreut.

„Es tut uns leid, Frau Penrose. Wir haben von dem Diebstahl gehört."

Frau Penrose sah düster vor sich hin.

„Alles ist verloren. Jemand hat alles gestohlen. Ich verstehe nicht."

Für einen Moment war sie ganz in Gedanken. Dann sagte sie:

„Ich muss in diese Richtung. Kommt ihr mit?"

Amy und Marie schlossen sich ihr an. Unterwegs schilderte Frau Penrose ihre Bestürzung, als sie das Kästchen öffnete und es leer fand.

„Die Polizei konnte nichts finden. Vielleicht denken sie auch, dass ich im Oberstübchen nicht mehr ganz dicht bin, die Geschichte erfunden habe, um in die Zeitung zu kommen."

„Oh, Frau Penrose, das denken sie bestimmt nicht!"

„Hatten sie in letzter Zeit Besuch?", fragte Marie.

„Nur von einer Cousine und Frau Pembroke von unserer Kirchengemeinde. Sie fragte, ob ich einen Kuchen bringen könnte. Na, ihr wisst schon: Für diese Wohltätigkeitsveranstaltung."

Marie wagte sich hervor:

„Frau Penrose, haben Sie zufällig Indisches Essen oder Pizza bestellt? Ich meine, bevor Sie den Diebstahl bemerkten?"

Frau Penrose sah sie mit großen Augen an. Sie sah aus, als wäre sie nicht sicher, ob sie soeben richtig hörte. Sie schürzte die Lippen und runzelte die Stirn.

„Indische Gerichte? *Nein*, niemals!"

Sie fasste sich ans Kinn und überlegte. Auf einmal legte sie Amy eine Hand auf die Schulter.

„Aber Pizza? Ja! Woher weißt du das?"

Amy und Marie waren nun ganz gespannt.

„Sagen Sie mir bitte, Frau Penrose, *wo* haben Sie die Pizza bestellt?"

„Nun, ich mag diese tiefgekühlten Supermarkt-Pizzen nicht, die schmecken doch nach nichts oder der Teig ist zu dünn. Was wollte ich sagen? Ach, ja, richtig: Ich habe einen von diesen *Heimservices* angerufen. An den Namen kann ich mich jetzt aber nicht mehr erinnern. Warum?"'

„Moon of Bangalore?"

Amy und Marie hingen an ihren Lippen. Frau Penrose sah sie ungläubig an.

„Jetzt, wo du es sagst: Ja! Ich erinnere mich: Moon of Bangalore! So sagte er am Telefon."

Frau Penrose blieb der Mund offen. Sie stellte ihre Einkaufstasche ab. Marie dachte nach: Bangalore? Wenn sie sich recht erinnerte, sah sie einmal einen Bericht über diese indische Stadt. Da gab es viele Computerfirmen.

„Bangalore ist eine Stadt in Indien, Frau Penrose."

„Ja, du hast Recht: Kenne ich vom Kreuzworträtsel."

„Haben Sie ein Werbefaltblatt von denen, oder irgendeinen Zettel mit der Adresse?"

„Nein", gab Frau Penrose zurück, „nicht, dass ich wüsste. Wollt ihr da etwa auch bestellen? Normalerweise lassen sie ja einen Flyer da. Ich glaube, der Pizza lag keiner bei, wenn ich mich recht erinnere. Aber *wie* kamt ihr darauf?"

„Frau Penrose, wir müssen schnell los. Wir erklären es Ihnen ein andermal, ja?"

Frau Penrose sah ihnen verwundert nach, wie sie davoneilten. Sie verstand überhaupt nichts mehr. Amy und Marie liefen schnell zum Fayfield House.

„Wir müssen im Telefonbuch oder im Internet nachsehen, ob wir diesen Home Service finden", sagte Amy.

„Und dann?"

„Hm, ich weiß nicht."

„Sollen wir deinen Eltern und Martin etwas sagen?"

„Nein, noch nicht."

Sie schlichen sich ins Haus. Peter stand an der Rezeption und lächelte ihnen freundlich zu. Er schien sich nicht zu wundern, dass sie schon wieder da waren. Er war einfach zu beschäftigt. Es klingelte schon wieder und er griff zum Hörer.

„Here Fayfield House."

Sie gingen eilig an ihm vorbei. Hinter der Rezeption stand ein Schränkchen. Darin waren ein Telefonbuch und ein Firmenverzeichnis untergebracht. Während Peter telefonierte, dem Anrufer alle möglichen Fragen beantwortete, nachsah, ob noch Zimmer frei waren, blätterte Amy so schnell sie konnte. Ihr Finger flog nur so über die Seiten. Doch nirgends war der Moon of Bangalore zu finden.

„Merkwürdig", murmelte sie. Dann fasste sie ihre Freundin an der Hand.

„Komm, wir gehen schnell hinauf, auf mein Zimmer."

Oben angekommen, schaltete Amy ihr Notebook ein. Sie suchten und suchten, aber es fand sich kein Hinweis. Sie eilten wieder nach unten. Peter telefonierte noch immer. Er winkte kurz, als er sah, wie Amy und Marie das Haus erneut verließen. Amy zog ihr Smartphone hervor und wählte eine Nummer. Doch auch die Auskunft konnte nicht weiterhelfen.

„Seltsam."

„Vielleicht sind sie ganz neu und bei der Auskunft noch nicht bekannt?"

„Sollen wir eine Pause einlegen? Wir könnten in den Queens Park gehen? Der ist nicht weit von hier. Vielleicht kommt uns da eine Idee."

„Einverstanden!"

Unterwegs erzählte ihr Amy, dass der Queens Park der am zentralsten gelegene Park in Brighton ist. Kinder können sich dort auf dem Spielplatz vergnügen, Familien in einem Café entspannen oder unter Bäumen Picknick machen. Es gibt sogar Tennisplätze und eine Bowling-Bahn. Im Sommer wird ein kostenloses Unterhaltungsprogramm für Kinder angeboten. Im Mai, während des «Brighton Festivals», werden Stücke von Shakespeare aufgeführt.

„Man kann gut zu Fuß dorthin gehen."

Amy hatte Sandwiches und Obst eingepackt. Die beiden wollten lieber am Abend warm essen. So waren sie unabhängig und mussten mittags nicht wieder nach Hause laufen.

„Meinst du, es werden noch mehr Leute bestohlen werden?"

„Ich fürchte, ja", sagte Amy. „Wir müssen die Augen offenhalten. Vielleicht sehen wir unterwegs zufällig einen ihrer Fahrer.“

Aber sie sahen keinen Fahrer. Vielleicht mussten sie erst einmal eine Nacht darüber schlafen. So ließen sie den Nachmittag im Kino ausklingen, wo sie in die «Chronicles of Narnia» eintauchten.

Nachts hatte Marie lebhafte Träume. Sie sah sich in einer indischen Stadt. Ein voller Mond stand am Himmel. Da tauchte plötzlich Martin neben ihr auf und wedelte mit einer Zeitung. Er zeigte zum Mond und flüsterte:

«Moon of Bangalore, moon of Bangalore.»

Die Worte hallten nach wie ein Echo. Dann tauchte plötzlich Frau Pritchard auf. Sie ließ sich den Namen wiederholen. Martin deutete mit seinem Spazierstock auf eine Stelle in ihrem Kreuzworträtsel. Sie blickte unschlüssig auf. Martin nickte entschieden. Sie trug Buchstabe um Buchstabe in ihr Kreuzworträtsel ein. Dann erschien Frau Penrose und hielt eine Schatulle in der Hand. Martin ließ sie sich aushändigen. Er holte eine Lupe hervor und blickte hinein.

„Keine Fingerabdrücke!", murmelte er. Frau Penrose erschrak und wurde bleich. Martin flüsterte:

„Sie sind ja ganz bleich, Frau Penrose! Warum sind Sie so bleich? So weiß wie der Mond von Bangalore!"

Ihr Gesicht wurde immer heller und weißer, bis es verschwand. Dann sah Marie sich selbst im Traum, wie sie in das Kästchen hineinblickte. Es wurde plötzlich größer. Da fragte Martin:

„Frau Pritchard. *Wo* ist Ihr Neffe? Glauben Sie *wirklich*, dass er nur auf Besuch kam?"

Kapitel 11: Komm, schnell!

Beim Frühstück wiederholte sich die Szene vom Vortag. Marie rührte gerade ihr Müsli um, als Martin die Küche betrat.

„Guten Morgen, lasst es euch schmecken!"

Er lächelte freundlich. Sein Schnurrbart glänzte an den Enden, als wäre er gewachst worden. Dann wurde er ernster.

„Nicht jeder hat heute Morgen Grund zur Freude. Poirot ist ein sehr aufmerksamer Leser. Hört zu:

«Frau Dixon, eine ältere Dame, kam gestern auf die Polizeistation. Sie zeigte einen Diebstahl in ihrem Apartment in der Markstraße an.»

„Marktstraße: Das ist gar nicht weit von hier!"

„Genau!", bemerkte Martin, wobei er mit seinem Stock energisch auf den Boden stieß.

„Ich muss nun das Haus verlassen!"

Er setzte seinen Hut auf, verschränkte einen Arm hinter dem Rücken und trippelte dem Ausgang zu.

„Wir müssen diese Frau Dixon finden", flüsterte Amy.

„Komm, schnell!"

Keine halbe Stunde später waren sie in der Market Street angekommen. Sie sahen sich eingehend um. Da kam ein Rentner mit Spazierstock aus einem Hauseingang. Er führte einen Hund an der Leine.

„Entschuldigung, wir suchen eine Frau Dixon."

Der Rentner nahm einen Zug an seiner Zigarre, blies den Rauch aus und kratzte sich am Kopf:

„Frau Dixon?"

„Ja."

„Hm, lasst mich nachdenken. Ich bin mir nicht sicher, aber…Ich glaube, sie lebt da drüben, dort, in diesem Haus."

„Danke."

Marie war gespannt. Was hatte Amy vor? Seit letztem Jahr ging sie vielmehr aus sich heraus. Marie war stolz auf ihre Freundin. Am Haus angekommen, öffnete Amy die Tür zum Garten. Da kam eine ältere Dame aus dem Hinterhof hervor.

„Guten Tag, sind Sie Frau Dixon?"

Die Dame sah sie verwundert an.

„In der Tat, das bin ich. Nun?"

„Ich bin Amy. Meine Eltern betreiben das Fayfield House, Bed & Breakfast.

Dies ist Marie, meine Freundin."

„Fayfield House? In der Nähe vom *Brighton Pier?*"

„Ja, genau."

Die Dame sah sie verwundert an. Was hatte das zu bedeuten?

„Wir haben von dem Diebstahl gehört, den Artikel gelesen und"

Das Gesicht von Frau Dixon verdüsterte sich. Sie fiel Amy ins Wort.

„Ich fürchte, ihr werdet mir da nicht helfen können. Offen gesagt, habe ich auch keine große Lust, darüber zu reden, versteht ihr?"

Es sah aus, als wollte sie wieder ins Haus zurückgehen.

„Vielleicht können wir Ihnen doch helfen. Haben Sie vielleicht bei einem Heimservice bestellt, der sich Moon of Bangalore nennt?" '

Frau Dixon stand die Bestürzung ins Gesicht geschrieben. Ihre Augen standen ganz weit auf.

„Habe ich! Aber, wie konntet ihr? Ich meine, ich bin überrascht, ich"

Frau Dixon war mehr als verwundert. Woher kamen auf einmal die beiden Mädchen? Woher wussten sie, dass...

„Wir werden Ihnen alles erklären, aber nicht jetzt. Sagen Sie uns bitte: Haben die irgendeinen Flyer hinterlassen, ein Prospekt mit Adresse und Telefonnummer?"

„Nein. Bei mir steckte vor Tagen so ein Werbezettel im Briefkasten, aber das Papier habe ich weggeschmissen. Ich dachte noch: Seltsam, nur Name und Telefonnummer, fehlt da nicht was? Aber kann ja mal passieren. Da haben sie aus Versehen die Adresse vergessen. Sachen gibt es!"

Frau Dixon zuckte hilflos mit den Achseln. Amy prägte sich die Adresse von Frau Dixon ein. Dann verabschiedeten sie sich.

„Wir kommen bald wieder. Bis dann."

Wie soll es jetzt weitergehen? fragte sich Marie. Wie kommen wir zu der Adresse? Und wenn wir sie haben, was dann? Da stand auf einmal ein Herr vor ihnen, der ihr bekannt vorkam: Martin sah die beiden prüfend an. Er bewegte seinen Stock auf und ab und sagte:

„Wen haben wir denn hier? Ihr seid also vor mir da. Mischt ihr euch vielleicht in *meinen* Fall ein?!"

Er sah auf einmal ganz ernst aus. Seine Stirn lag in Falten und er rollte die Augen. Amy beschwichtigte ihn.

„Nein, nein. Wir kamen nur, um *hallo* zu sagen und"

Doch Martin steuerte schon das Tor an, das zum Haus von Frau Dixon führte.

Amy und Marie verließen den Schauplatz und eilten in die andere Richtung. Martin hat Verdacht geschöpft, dachte Marie. Sicher will er nicht, dass wir ihm ins Handwerk pfuschen. Nach einer Weile hielt Amy an.

„Lass uns da lang gehen, in die kleinen Gassen."

Kapitel 12: Sieh mal, da!

Was hat Amy vor? Warum verrät sie nichts? Ich habe keine blasse Idee, was sie im Sinn hat. Eine ganze Weile bahnten sie sich einen Weg durch das Menschengewimmel in den Geschäftsstraßen. An einem Platz angekommen, entdeckten sie Sitzbänke. Sie legten eine Rast ein. Amy sagte:

„Hier wohnen viele Geschäftsleute und Selbstständige. Viele haben keine Zeit, mittags Essen zuzubereiten. Die bestellen gerne bei einem «home service» oder holen sich etwas bei einem «Takeaway». Hier sieht man oft Fahrer, die mit Essen unterwegs sind.‟

Eine Stunde war vergangen, in der sie vergeblich Ausschau hielten. Auf einmal traute Marie ihren Augen nicht.

„Sieh mal, da!‟

Ein junger Mann, der eine Schirmmütze auf dem Kopf trug, war von seinem Motorroller abgestiegen. Er hielt vor einem Haus in der Seitenstraße. Nun zog er etwas hervor und vertiefte sich darin. Es sah ganz nach einem Stadtplan aus.

Die beiden folgten ihm. «Moon of Bangalore» stand auf seinem dunkelgrünen T-Shirt. Auf dem Rücksitz seines Motorrollers sah man einen großen Kasten. Darin war bestimmt Essen verstaut. Kaum holten sie ihn ein, rief Amy ihm zu.

„Dürfen wir ein Werbeprospekt von euch haben?"

Der junge Mann sah überrascht auf, doch er sagte kein Wort. Er hielt an und steckte ihnen ein Faltblatt zu. «Moon of Bangalore. Indische Küche und Pizza. Heimservice» stand darauf. Die Nummer eines Mobiltelefons war angegeben.

„Danke!", rief Amy ihm nach. Sie notierte sich in Gedanken die Nummer des Hauses, vor dem sie standen. Der junge Mann lächelte. Etwas künstlich, wie Marie schien.

„Fällt dir etwas auf?"

„Ja, es fehlt die Adresse."

„Genau! Das ist bestimmt Absicht. Die geben sonst immer ihre Adresse an!"

Kapitel 13: Allein hätte ich Angst...

Nach dem Abendessen gingen Amy und Marie an der Promenade spazieren. Sie sahen hinaus auf das Meer und betrachteten heran schäumende Wellen. Unzählige Glühbirnen erleuchteten den Palace Pier.

Wie sollten sie weiter vorgehen? Marie überlegte, ob sie nicht besser die Polizei verständigen sollten. Doch sie hatten ja gar keine Beweise. Amy heckte einen Plan aus: Wir müssen sie anrufen und Essen bestellen! Meine Eltern besuchen heute Abend Peters Vater im Krankenhaus. Da sind sie bestimmt einige Stunden außer Haus.

„Ich weiß nicht", flüsterte Marie, „allein hätte ich Angst. Wenn der Fahrer uns etwas antut?"

„Er wird versuchen, etwas zu stehlen. Das ist gar kein richtiger Lieferservice, das ist nur ein Vorwand. Deshalb erkennt man auch keine Adresse."

Marie war beeindruckt. Ihre Freundin war ganz schön schlau. Auf einmal sagte Amy:

„Ich glaube, du hast recht. Wenn wir ganz allein sind, ist es zu riskant. Außerdem wissen wir nicht, was Martin macht. Vielleicht ist er auf seinem Zimmer. Aber wenn er plötzlich auftaucht, wenn der Fahrer da ist? Wir müssen Martin in die Sache einweihen. Er ist kräftig, und wenn er gegen etwas aufgebracht ist, kann er sehr bestimmend auftreten.“

„Sollen wir nachher sehen, ob er in seinem Zimmer ist?“

„Nein, besser nicht. Das ist sein Reich, da darf man ihn nicht stören.“

„Ach so“, sagte Marie. „Ich verstehe. Das geht wohl nur mit Voranmeldung. Aber bei wem sollten wir uns anmelden? Hier gibt es ja keine Miss Lemon, wie in den Filmen. Wir warten besser, bis er uns über den Weg läuft.“

Eine Stunde später trafen sie Martin in dem kleinen Garten hinter dem Haus. Als Amy mit ihrer Erzählung zu Ende kam, setzte er ein überlegenes Lächeln auf.

„Mich könnt ihr nicht überraschen. Ich war natürlich über alles bestens informiert!"

Wusste er wirklich schon längst Bescheid? Oder hat er das jetzt aus einem Film? Marie wusste nicht recht, was sie denken sollte. Es dauerte nicht lange, und der Plan war perfekt. Amy besprach sich mit Martin und machte sich Notizen. Dann wiederholte sie mit Verschwörer-Miene nochmals alles für Marie:

„Heute Abend, sobald meine Eltern aus dem Haus sind, rufe ich bei diesem Moon of Bangalore an und bestelle etwas. Wenn der Fahrer kommt, nehme ich das Essen entgegen. Ich versuche zu bezahlen. Er wird bestimmt sagen, dass er zufällig nicht genug Wechselgeld dabeihat. Ich sage also: Dann muss ich kurz nach oben, um andere Scheine und Münzen zu holen.

Martin hat sich vorher in dem großen Schrank im Wohnzimmer versteckt. Der Schrank ist ausgeräumt, da ist Platz genug. Vorher bringt er noch ein Loch an, so dass er den Mann unauffällig beobachten kann. Wenn er etwas stiehlt, kommt Martin plötzlich hervor und hält ihn mit seinem Stock in Schach. Marie, du versteckst dich in der Küche. Wenn Martin deinen Namen ruft, verständigst du *sofort* die Polizei. Ich gebe dir mein Smartphone und die Nummer. Martin wird die Polizei aber auf jeden Fall vorab über unseren Plan informieren. Die werden sich unauffällig an der Straße postieren. Es wird kein Entkommen geben.

„*Wenn* der Fahrer wirklich etwas stiehlt", sagte Marie. Hatte sie sich zuvor eine Weile mit Amy in Englisch verständigt, so sprach sie nun wieder Deutsch.

„Das wird er tun!" sagte Martin auf einmal mit großer Bestimmtheit. Er war lautlos nähergekommen.

„Ganz sicher! Zweifellos."

Marie und Amy sahen sich höchst erstaunt an. Seit wann verstand Martin Deutsch?

Kapitel 14: In einer Stunde ist er da...

Moon of Bangalore, guten Abend."

„Guten Abend. Ich möchte drei vegetarische Biryanis bestellen. Haben Sie auch Pizza?"

„Sicher! Ich empfehle unsere neueste Kreation: Pizza Moon of Bangalore, vegetarisch, ein bisschen scharf."

Amy war einverstanden und gab ihm die Adresse. Fayfield House, wiederholte sie. Marie war ganz nah an Amy herangerückt. Sie konnte gerade noch hören, wie eine Stimme am anderen Ende der Leitung wiederholte:

„Fayfield House, ganz in der Nähe vom Brighton Pier, perfekt!"

Dann legte Amy auf. Sie flüsterte aufgeregt: „In einer Stunde ist er da!"

Amy, Marie und Martin trafen alle Vorbereitungen. Marie hörte, wie Martin mit der Polizei telefonierte und ihnen alles haarklein erzählte: „My dear Chief Inspector Japp..."

Sie kannten ihn dort schon.

Kaum war eine Stunde vorbei, als es dreimal klingelte. Martin hatte sich bereits im Schrank postiert, an einer Schrankseite den Messingbeschlag abmontiert. Durch die entstandene Öffnung konnte er sehen, was im Raum vorging. Marie kauerte unterdessen mit Amys Smartphone in der Hand unter dem Tisch in der Küche. Amy öffnete, ließ sich nichts anmerken und bat den Fahrer herein. Dann nahm sie die Gerichte entgegen.

„Vorsicht, das Essen ist noch gut warm."

Der Mann war nicht allzu groß. Sein Haar war pechschwarz und er trug einen Seitenscheitel. Nun zückte er einen Kugelschreiber, kritzelte Zahlen auf einen Zettel und zog die Summe. Er sieht gar nicht wie ein Inder aus, dachte Amy. Seltsam. Sie reichte ihm einen Schein. Der junge Mann kramte in seiner Geldbörse. Auf einmal setzte er ein betretenes Gesicht auf und zog die Stirn in die Höhe.

„Ich fürchte, ich kann nicht wechseln. Verflixt! Ich habe die Börse mit dem Wechselkleingeld in meiner Kitteltasche vergessen. Das ist mir noch nie passiert."

Amy tat so, als sei sie gar nicht überrascht und winkte ab.

„Kein Problem. Ich gehe kurz nach oben und hole kleinere Scheine und Münzen, bin gleich wieder da."

„Prima! Tut mir leid für den Umstand."

Der Fahrer nickte zufrieden. Kaum war Amy gegangen, zog er schwarze Seidenhandschuhe hervor, streifte sie schnell über seine Finger und sah sich im Raum um. Er entdeckte eine echt silberne Vase, die in einer Vitrine stand, öffnete die Vitrine und steckte die Vase blitzschnell ein. Dann sah er sich rasch in allen Ecken um, ob noch etwas zu holen war. Er lauschte. Von oben kamen noch keine Schritte. Plötzlich stürzte Martin aus dem Schrank hervor.

„Marie!", rief er laut.

Dann hielt er den verblüfften Fahrer, der erschrocken war, mit seinem Stock resolut in Schach. Marie drückte sofort auf die Tasten. Es dauerte nur Sekunden und die Polizisten, die unauffällig in Nähe des Hauses postiert waren, drangen ins Innere des Hauses vor. Martin hatte für sie einen Hausschlüssel unter der Fußmatte deponiert. Chefinspektor Walker knöpfte sich den jungen Mann vor:

„Ich nehme Sie als Verdächtigen von mindestens drei Diebstählen fest. Sie müssen nichts sagen, aber alles, was Sie sagen, kann als Beweismittel gegen Sie angeführt werden."

Amy war inzwischen von oben zurückgekommen. Der Fahrer des Moon of Bangalore blickte sie und Martin, mit rollenden Augen, wütend an. Marie war mittlerweile unter dem Küchentisch hervorgekrochen.

„Mein lieber Chefinspektor Japp!", sagte Martin, mit einer Geste voller Zuneigung, zu «Chief Inspector Walker». Martin hielt ihn offensichtlich für den bekannten Inspektor aus seinen Poirot-Filmen. Zwei Polizeibeamte traten hinzu und führten den Fahrer ab. Er leistete keinen Widerstand.

„Wieder ein Fall, den ich dank meiner kleinen grauen Zellen lösen konnte!"

Amy wollte schon protestieren. Schließlich hatte sie mit Marie die ganze Vorarbeit geleistet. Doch Martin kam ihr zuvor.

„Dieses Mal musste ich jedoch nicht die ganze Arbeit allein leisten. Diese zwei Mädchen haben mir assistiert und hervorragend ermittelt!"

Inspektor Walker schüttelte reihum die Hände. Dann entschuldigte er sich.

Jetzt mussten sie erst einmal diesen Fahrer auf das Polizeirevier bringen und unverzüglich verhören. Sicher steckten noch weitere Leute dahinter. Jede Menge Arbeit wartete auf ihn und seine Leute: Das Diebesgut musste gefunden und den Eigentümern zurückgebracht werden. Er verabschiedete sich und salutierte:

„Guten Abend allerseits!"

Als er gegangen war, sagte Martin: „Ich habe gleich gemerkt, dass dieser junge Mann nicht aus Indien stammt."

Dann öffnete er behutsam einige Alu-Folien und betrachtete die Gerichte, die der junge Mann zuvor brachte. Es roch stark nach Curry, Paprika und Chilisoße. Martin verzog das Gesicht. Es sah aus, als habe er gerade in eine Zitrone gebissen.

„Diese Pizza sieht ganz nach tiefgefrorener Pizza aus dem Supermarkt aus!"

Nun sah er richtig erzürnt aus. Alle lachten. Martin beherrschte sich und deutete ein langgezogenes, nahezu scheu wirkendes, Lächeln an.

Kapitel 15: Mein Name ist Lewis...

Kaum waren Margaret und Peter zurückgekehrt, als es an der Tür dreimal klingelte.

„Dies muss die Familie aus Frankreich sein! Sie haben für heute Abend reserviert", informierte Margaret. Sie rückte einen Stuhl zurecht.

„Begrüßen wir sie auf Französisch. Amy, öffne bitte die Tür."

Martin stand auf dem der Treppe, die nach oben führte Treppe. Nun drehte er sich um und näherte sich langsam der Eingangstür. Zwei Männer traten herein. Einer der beiden trug ein Diktiergerät. Der andere hielt einen Fotoapparat in der Hand.

„Wir sind von der Zeitung «Brighton Evening Argus». Mein Name ist Lewis. Dürfen wir mit Herrn Martin – kann den Nachnamen nicht lesen, tut mir leid – und mit den zwei jungen Damen reden, die entscheidend an der Festnahme des Fahrers von Moon of Bangalore beteiligt waren? Es dauert nur fünf Minuten.

Zwei, drei Fotos und das war es auch schon."

Margaret und Peter waren hervorgekommen. Sie sahen sich und dann Martin, Amy und Marie sprachlos an. Nun trat Martin hervor. Er beherrschte sogleich die Szene und machte zunächst eine beruhigende Geste. Dann erhob er seine Stimme. Sie schwoll zu einem beachtlichen Volumen an: „Ich werde sogleich alles erklären!" versicherte er Margaret und Peter. Dann wandte er sich wieder um und sprach die Männer vom Brighton Evening Argus an.

„Ich weiß nicht, nach welchem Martin Sie suchen: Mein Name ist Poirot! Hercules Poirot!"

Die Männer von der Presse trauten ihren Ohren nicht, sahen sich verblüfft an. Margaret verdrehte die Augen und gab ihnen heimlich ein Zeichen. Der Journalist verstand, hüstelte und sagte:

„Oh, natürlich. Das hätte ich gleich merken sollen."

„Das sollten Sie in der Tat!" fuhr Martin ihn an. Er war einen Schritt nähergetreten, seine dunklen Augen funkelten.

Dann gab er in geraffter Form eine Darstellung des ganzen Ablaufs, der zur Ergreifung des Täters führte. Er ging auch auf den Plan ein – ein Plan, ein genialer, nicht wahr? – und würdigte die wichtige Rolle, die Amy und Marie in diesem Fall spielten. Margaret und Peter kamen aus dem Staunen nicht mehr heraus. Der Pressemann ließ das Diktiergerät laufen und machte sich Notizen. Dann bat der Fotograf Martin, Marie und Amy vor die Türschwelle. Marie wusste nicht, wie ihr geschah: Die wollten wirklich Fotos von uns machen?

Bevor Amys Eltern noch Einspruch erheben konnten, postierten sich alle drei vor der Tür und der Fotograf lichtete sie mehrmals ab. Die Männer vom Evening Argus bedankten sich:

„Sie bekommen natürlich Freiexemplare."

Und schon waren sie wieder unterwegs.

Martin löste sein Versprechen ein. Er erzählte Amys Eltern die ganze Geschichte von vorn. Atemlos hörten sie, wie ihre Tochter und Marie heimlich ermittelten.

„Mir fehlen die Worte!", keuchte Margaret.

„Ich dachte, ihr zwei verbringt einen schönen Urlaub, stattdessen arbeitet ihr als Detektive!"

Die ganze Anspannung der vergangenen Tage löste sich. Ringsum brach Heiterkeit aus. Martin war sichtlich zufrieden. Er zwirbelte noch einmal seinen Schnurrbart. Dann zog er sich in sein Zimmer zurück.

Kapitel 16: Endlich haben sie begriffen, wer *ich* bin!

Am nächsten Morgen stand das Telefon nicht mehr still. Leute aus der Nachbarschaft und aus dem Stadtviertel riefen an. Andere Presseleute baten vergeblich um Interviews. Dazwischen meldeten sich neue Gäste an. Peter kam überhaupt nicht mehr vom Hörer weg. Sobald er auflegte, klingelte es schon wieder, und auch Margaret hatte alle Hände voll zu tun. Martin betrat ganz stolz die Küche. Er rief Amys Eltern kurz herbei und schlug den Lokalteil auf:

DER POIROT VON BRIGHTON UND ZWEI MÄDCHEN NEHMEN DEN DIEB FEST, lautete die Überschrift eines längeren Artikels. Daneben war ein großes Foto zu sehen. Es zeigte Martin, Marie und Amy vor der Tür. Unter dem Foto waren ihre Namen aufgeführt. Fayfield House stand auf dem Schild über dem Haus. Martin lächelte über beide Backen:

„*Endlich* haben Sie begriffen, *wer* ich bin!"

Er griff nach seinem Spazierstock, grüßte mit einem Lächeln, das sich immer mehr über sein Gesicht ausbreitete und zog von dannen. Nachdem sich Margaret und Peter vom ersten Schreck erholt hatten, waren sie nun richtig stolz.

„Diesen Abend feiern wir", sagte Margaret. Sie strich Amy und Marie über ihr Haar.

„Deine Mutter wird es nicht glauben", flüsterte sie Marie ins Ohr.

„Sollen wir sie heute Abend anrufen?"

Marie überlegte.

„Wir können sie anrufen. Aber ich erzähle es ihr besser erst, wenn ich wieder zuhause bin."

Eine Stunde später trafen die Gäste aus Frankreich ein. Peter und Margaret hatten sich inzwischen beruhigt und waren stolz auf ihre Tochter. Peter erklärte sich bereit, weiter an der Rezeption zu bleiben. So konnte Margaret mit Amy und Marie im Garten feiern.

„Meinst du, dass Martin auch kommen wird?"

„Das weiß man bei ihm nie", sagte Amy.

Margaret stellte den Gartentisch auf und servierte leckeren Hawaii Toast.

Als Überraschung tischte sie auch noch Glühwein auf. Doch sie gab acht, dass Marie und Amy nicht zu viel tranken. Zum Abschluss stellte sie noch Teelichter auf den Tisch und zündete sie an. Es sah so schön aus. Diesen Tag werde ich nie vergessen, dachte Marie. Alles schien ihr immer noch unwirklich. Die ganzen Szenen bis zur Ergreifung des Täters liefen wie in einem Film vor ihr ab. Die Fotos vor dem Haus waren die Krönung.

„So, meine kleinen, oder sollte ich besser sagen, meine *großen* Detektive", sagte Margaret, während sie eine neue Ladung Hawaii Toast brachte.

„Ich hoffe, das war erst einmal euer letzter Fall."

Amy und Marie prusteten vor Lachen.

Am nächsten Morgen erschien Martin wieder mit seiner Zeitung. Er kam gleich zur Sache.

„MOON OF BANGALORE: Diebesgut sichergestellt. Wie Chefinspektor Walker unserer Zeitung erzählte, wurde die ganze Diebesbeute gefunden und kann somit ihren Besitzern bald zurückgegeben werden."

Martin schlug die Zeitung zu, er sah ärgerlich aus.

„Diese Journalisten! Warum reden sie immer von einem Chefinspektor Walker? Er heißt *Japp*, Chefinspektor Japp! Wann lernen die das endlich?!"

Er schüttelte den Kopf und ging verdrossen von dannen. Amy sagte:

„Das ist eine gute Nachricht! Frau Pritchard, Frau Penrose und Frau Dixon werden glücklich sein. Sie haben alles zurückbekommen, was ihnen gestohlen wurde."

Als Marie und Amy das Haus verlassen wollten, stießen sie mit dem Briefträger zusammen:

„Seid ihr Marie und Amy?"

„Ja, das sind wir.“

„Ich habe einen Brief für euch. Und für einen gewissen – kann ich nicht lesen – *Poirot*?“

Amy bedankte sich, nahm die Post entgegen und ging mit Marie ins Haus zurück.

„Mami!“, rief sie laut, „wir haben Briefe bekommen! Von Frau Pritchard, Frau Penrose und Frau Dixon!“

Margaret kam aus der Küche hervor, trocknete ihre Hände an einer Schürze ab und rief die beiden herein.

„Das ist eine gute Neuigkeit.“

Amy riss den Brief auf. Marie war schon so gespannt. Amy las laut vor:

«Liebe Amy, liebe Marie, lieber Herr Poirot,

wir schreiben, um unsere Dankbarkeit auszudrücken. Eure Ermittlungen, euer Mut und eure Anstrengungen haben es der Polizei möglich gemacht, den Dieb festzunehmen. Wir sind so froh, dass wir unsere Wertsachen zurückbekommen

haben. Das werden wir niemals vergessen!

Wir möchten euch diesen Sonntag, um
15.00 Uhr, in der Wohnung von Frau
Pritchard einladen, um uns persönlich
bei euch zu bedanken. Wir haben ein
paar Überraschungen vorbereitet.

Bitte teilt uns mit, ob ihr kommen
könnt. Mit Zuneigung und Dankbarkeit...»

„Sie laden uns ein, alle drei!" sagte
Amy, während Margaret den Brief nochmals las. Aber wir müssen Mar"

Marie konnte Amy gerade noch anstoßen. Sie hörten Schritte und Martin
stand in der Tür.

„Der Briefträger ist meiner Aufmerksamkeit nicht entgangen. Ich bin mir sicher, er brachte einen Brief von Frau
Pritchard, Frau Penstone and Frau
Dixon!"

Alle waren erstaunt. Die Vorhersagen
von Martin wurden immer besser.

Kapitel 17: Eine Fahrt auf der Themse?

M arie und Amy warteten schon gespannt auf den Sonntag. Was für eine Überraschung hatten sich die drei Damen wohl ausgedacht? Eine Fahrt auf der Themse? Oder einen Ausflug in die malerischen Landschaften, Städte und Dörfer in Sussex? Oder etwas ganz anderes?

„Am besten, wir lassen uns überraschen."

Am Sonntag brachen Amy, Marie und Martin zu Fuß auf. Bis zum Haus von Frau Pritchard war es nicht weit. Martin war ganz neu eingekleidet. Die neue Uhr, die er aus der Westentasche zog und die an einer goldenen Kette hing, glich der seines berühmten Vorbildes. Unterwegs drehten sich manchmal Leute nach ihnen um und zeigten mit dem Finger auf sie. Sicher hatten sie den Artikel in der Zeitung gelesen. Wenn Mami wüsste, dachte Marie. Martin wollte gerade auf die Klingel drücken, als ihnen

Frau Penstone öffnete. Frau Pritchard hantierte in der Küche, Frau Dixon eilte herbei. Nun brach ein Händeschütteln aus, wie Marie und Amy es schon lange nicht mehr erlebt hatten. Die drei älteren Damen bedankten sich überschwänglich. Die gute Frau Pritchard war hinzugekommen und war schon wieder den Tränen nahe. Diesmal aber aus Freude.

Frau Pritchard musste schon seit Stunden in der Küche gestanden haben.

Das Mittagsessen wollte kein Ende nehmen. Besonders die Pasteten taten es Marie an. Frau Dixon ließ es sich nicht nehmen, auch im Namen der beiden anderen Damen eine kleine Dankesrede zu halten. Daran anschließend wartete Frau Pritchard wieder mit Obsttörtchen auf. Am Ende hielten sich alle den Bauch. Frau Pritchard schlich nun in den Gang und ließ eine kleine Glocke ertönen.

„Und nun zu unseren kleinen Überraschungen."

Amy und Marie waren schon ganz gespannt. Nur Martin lächelte gelassen.

Ob er auch hier wieder längst wusste, was folgen würde? Frau Pritchard erhob ihre Stimme:

„Zunächst gebe ich euch ein Bild.‟

Nun brach ein großes Ah! und Oh! und Händeklatschen aus: Die Damen mussten sich das Originalfoto beim Evening Argus besorgt haben. Es war im Großformat auf glänzendem Fotopapier zu sehen und in edlem Holz eingerahmt. Jeder bekam ein Exemplar. Über dem Foto war in schöner Handschrift zu lesen:

Für Amy, Marie und den *Poirot von Brighton*. In Dankbarkeit.

Es folgten drei Unterschriften. Das Bild war hinter Glas. *Die* Überraschung war schon mal gelungen! Nun nahm Frau Penrose das Heft in die Hand:

„Amy, deine Mutter erzählte uns, wie gut du mit Marie befreundet bist. Wir haben daher beschlossen, dir einen Gutschein zu schenken: Wenn du einmal nach Deutschland fliegen möchtest, um deine Freundin zu besuchen, werden wir den Flug und die Reisekosten bezahlen!"

Amy jauchzte auf und drückte Marie an sich. Dann stand sie auf und schüttelte den drei Damen die Hände.

„Und nun zu dir."

Marie war schon ganz gespannt. Sie rutschte auf ihrem Stuhl hin und her.

„Margaret erzählte uns, dass du dein Englisch verbessern möchtest. Wir schenken dir einen Gutschein für eine der besten Sprachschulen unserer Stadt. Wann immer du hier einen Sprachkurs machen willst, lass es uns wissen."

Marie wusste gar nicht, wie sie danken sollte. Das war einfach wunderbar! So konnte sie Englisch lernen und zugleich Amy wiedersehen! Da hatten die sich aber wirklich etwas einfallen lassen. Die Spannung von Amy und Marie stieg. Was hatten sie sich wohl für Martin ausgedacht? Frau Dixon machte es spannend.

Sie verschwand hinter einem Vorhang. Nach einiger Zeit tauchte sie wieder auf und holte eine lebensgroße Figur hervor. Sie drehte sie langsam um: Eine Wachsfigur! Martin war sofort zu erkennen. Sie war genau nach dem Foto in der Zeitung gearbeitet.

Kapitel 18: Eine Art Berühmtheit?

Ein Bekannter von mir stellt Wachsfiguren von Berühmtheiten her. Da Sie ja jetzt auch eine Art Berühmtheit sind...Ich hoffe, die Figur gefällt Ihnen."

„Eine Art Berühmtheit? Jetzt? Ich bin schon lange ein berühmter Detektiv!", murmelte Martin. Doch er stand dennoch auf und strahlte über beide Ohren.

„Dies ist ein Kunstwerk, ein wunderbares!"

Er stellte sich neben die Figur. Dann klopfte er ihr etwas scheu, doch anerkennend auf die Schulter. Zum Abschluss deutete er ein Lächeln an, das sich zusehends über sein Gesicht ausbreitete. Alle sahen ihn mit großem Wohlwollen an.

Als Marie am nächsten Tag die Treppe herunterstieg, ahnte sie noch nicht, *was* für ein Anblick auf sie wartete: Wo gestern noch eine große Vase, ein kleiner Tisch und ein Schirmständer im Eingangsbereich standen, erhob sich auf einmal die lebensgroße Wachsfigur von Martin. Oder sollte sie sagen von *Poirot*?

Martin hatte sie dort heimlich aufgestellt und damit Amys Eltern gehörig überrascht. Zunächst waren sie ratlos. Was sollten sie tun? Die Figur wieder wegschaffen? Aber dies hätte Martin bestimmt empfindlich getroffen. Sie besprachen sich mit Amy. Ihre Tochter hatte eine glänzende Idee.

„Lasst sie dort stehen. Unsere Gäste und besonders die Kinder werden sie sehr mögen. Und wisst ihr was?"

Sie legte eine kleine Pause ein, um die Spannung zu erhöhen.

„Vielleicht sollten wir gleich noch den Namen unserer Pension ändern!"

Den Namen der Pension ändern? Auf diese Idee waren Margaret und Peter nun wahrlich nicht gekommen. Fayfield House, so hieß die Pension, seit ihrer Gründung vor vielen, vielen Jahren. Als Fayfield House war sie bekannt. Unter diesem Namen war sie im Internet, Telefonbuch und vielen Hotelverzeichnissen zu finden.

„Nachdem unser Foto in der Zeitung war...Ob es uns gefällt oder nicht: *Poirot von Brighton* ist schon ein bekannter Name. In der Zukunft wird er vermutlich noch bekannter werden. Warum benennen wir also nicht unser Gästehaus nach ihm? Das könnte eine große Attraktion werden! Wer weiß, am Ende kommen deshalb so viele Gäste, dass ihr beide vorzeitig in Rente gehen könnt!"

Amys Eltern waren mehr als verblüfft. Sollten sie allen Ernstes ihre Pension nach *Poirot* nennen? Doch Peter meldete Bedenken an:

„Ich glaube, wir müssen hierzu die Erlaubnis der Erben von Agatha Christie einholen. Schließlich ist der Name Poirot in aller Welt ein Begriff. Wer weiß, ob sie ihn nicht rechtlich geschützt haben."

„Ja, du hast recht", fiel Margaret ein, „du solltest zuerst versuchen, dies in Erfahrung zu bringen. Sicher ist sicher. Ich bin aber zuversichtlich, dass sie die Erlaubnis erteilen werden."

„Was meint ihr, wie es klingen wird", meine Peter, „wenn ich mich so am Telefon melde:

Hier Gästehaus Poirot, was kann ich für Sie tun?"

Da hörten sie Schritte, die von oben kamen. Es knackte auf den Holzstufen. Ein Spazierstock wurde durch die Luft geschwungen. Alle drehten sich um. Martin wirkte würdevoll. Seit er auf dem Bild in der Zeitung erschienen war, trat er noch entschlossener auf.

„Wie es klingen wird? Ich werde es euch verraten: Wunderbar! Aber ich möchte ein Detail ergänzen: Wie ihr alle wisst, hat sich Poirot von London zurückgezogen und lebt jetzt in Brighton. Vervollständigen wir also:

«Gästehaus Poirot von Brighton!»

Der Vorschlag wurde begeistert angenommen. Wenn ich nächstes Jahr wiederkomme, dachte Marie, wird es vielleicht schon über dem Haus an der Wand prangen. Für einen Moment wurde sie traurig. Der Abschied rückte immer näher. Doch sie fasste sich wieder. Frau Penrose, Frau Dixon und Frau Pritchard kommen ja für die Flugkosten auf! Da kann Amy mich bestimmt bald besuchen kommen...

Kapitel 19: Flughafen Gatwick...

Als sie am Sonntag in der Eingangshalle des Flughafens von Gatwick ankamen, wurde es Marie schwer ums Herz. Von Margaret hatte sie sich bereits in der Pension verabschiedet. Zu ihrer großen Überraschung war Martin mitgekommen. Peter schnappte sich einen Trolley, stemmte Maries Gepäck darauf und ging zügig voraus. Sicher würde gleich Julia, die Freundin ihrer Mutter, eintreffen. Es war vereinbart, dass sie wieder zusammen zurückfliegen. Amy zog Marie am Ärmel und flüsterte ihr ins Ohr:

„Sei nicht traurig, Marie. Ich komme dich bald besuchen."

Maries Miene hellte sich sogleich auf. Da entdeckte Marie in der Ferne Julia. Sie bestellte gerade einen Kaffee. Marie fiel Peter um den Hals.

„Vielen Dank für alles! Das nächste Mal müsst ihr wiederkommen."

„Hoffentlich", sagte Peter, der nun auch Julia näherkommen sah. Marie drückte Amy an sich. Nun war es auch

Zeit, sich von Martin zu verabschieden. Der hielt einen Arm auf dem Rücken verschränkt und zog seinen frisch polierten Hut. Zu Maries Überraschung zog er auch ein Buch hervor.

„Hier hast du etwas zum Lesen, für unterwegs. Ich hoffe, es gefällt dir."

Marie warf einen Blick auf den Titel: «Hercules Poirots größte Triumphe». Martin setzte wieder ein feines Lächeln auf und zwinkerte:

„Da du ja auch als Detektivin tätig bist."

„Vielen Dank, das ist nett von Ihnen!"

„Ich wünsche dir einen Flug, einen höchst angenehmen!"

Julia stand mittlerweile neben ihnen. Als sie Martin sah und hörte, traute sie ihren Augen und Ohren nicht. Er erinnerte sie sofort an jemand. Doch Marie stieß sie heimlich an und gab ihr ein Zeichen.

Ein letztes Mal wurden Hände geschüttelt. Dann zog Marie mit Julia weiter. Sie drehte sich noch einmal um. Peter und Amy winkten noch immer, und

Martin erhob seine Hand, beinahe scheu, zu einem letzten Gruß.

Über den Autor

Paul Baldauf, Buchautor und Übersetzer. Speyer am Rhein:

Neben Büchern veröffentlichte er in Zeitungen, Kultur-, Freizeit- und Sprach-Magazinen, Anthologien und Rundfunksendern (Gedichte auch in spanischer Sprache, in verschiedenen Sendern von Radio Maria).

In italienischer Sprache war er 3 x Preisträger (2 x 1. Preis, 1 x 2. Preis) bei Schreibwettbewerben des italienischen Kulturmagazins Onde.

Er schreibt Kurzgeschichten / Erzählungen, Romane, Reiseliteratur und Gedichte, veröffentlichte eBooks (in drei Sprache) und ist Mitglied im Verband deutscher Schriftstellerinnen und Schriftsteller.

www.autor-paul-baldauf.de